NUNCA FOI SEGREDO

PE. REGINALDO MANZOTTI

NUNCA FOI SEGREDO

A SABEDORIA DE MILÊNIOS EM
60 ENSINAMENTOS

petra

Copyright © 2023 by Pe. Reginaldo Manzotti

Direitos de edição da obra em língua portuguesa no Brasil adquiridos pela Petra Editorial Ltda. Todos os direitos reservados. Nenhuma parte desta obra pode ser apropriada e estocada em sistema de banco de dados ou processo similar, em qualquer forma ou meio, seja eletrônico, de fotocópia, gravação etc., sem a permissão do detentor do copirraite.

Petra Editora
Rua Candelária, 60 — 7.º andar — Centro — 20091-020
Rio de Janeiro — RJ — Brasil
Tel.: (21) 3882-8200

Nihil obstat
Pe. Fabiano Dias Pinto
Censor arquidiocesano

Imprimatur
† Dom José Antônio Peruzzo
Arcebispo Metropolitano de Curitiba
Curitiba, fevereiro de 2023

Dados Internacionais de Catalogação na Publicação (CIP)

M296n   Manzotti, Pe. Reginaldo
          Nunca foi segredo: a sabedoria de milênios em 60 ensinamentos/ Pe. Reginaldo Manzotti. – Rio de Janeiro: Petra, 2023.
          176 p. ; 13,5 x 20,8cm

          ISBN: 978-65-88444-69-6

          1. Cristianismo. I. Título

                                            CDD: 233
                                            CDU: 2-184

André Queiroz – CRB-4/2242

Conheça outros livros da editora

SUMÁRIO

Para que área da sua vida você precisa de inspirações do Espírito Santo? Abra seu coração a Ele e encontre, a seguir, as páginas em que encontrará os conselhos certos para sua vida.

Abandono • 20
Acídia • 150
Adolescência • 54
Altruísmo • 14, 23
Amargura • 56
Ambição • 20
Amor • 23, 134
Amor de deus • 11
Ansiedade • 146
Apostolado • 156
Arrependimento • 95
Arrogância • 50
Assertividade • 36
Autodomínio • 62, 67, 90
Autoestima • 11
Beleza interior • 166
Bênção • 36, 41, 56
Bens materiais • 17
Boas palavras • 78
Bondade • 14, 153
Brandura • 119

Brigas • 23, 26, 41, 119, 122, 168
Cair e levantar • 36, 99
Caminhada • 108
Caridade • 14
Casamento • 20, 23, 29, 134, 168
Cobiça • 56, 142
Comodismo • 150
Compreensão • 29, 33, 93, 129
Compulsão sexual • 142
Compulsões • 161
Comunicação • 29
Concupiscência • 150
Confiança • 38, 80, 140
Consciência • 50, 146
Convicção • 38
Coragem • 38, 80, 99, 156
Correção • 11, 50, 69, 78, 115
Correção fraterna • 33
Corrupção • 84
Culpa • 95
Cura dos afetos • 95

Dedicação • 134
Depressão • 158
Desamor • 23
Desânimo • 36, 82, 99, 150
Diabo • 47
Diálogo • 29
Diferenças • 26
Dinheiro • 17
Direção • 38
Discernimento • 69
Dor • 137
Drogas • 161
Educação • 41, 44, 62
Ego • 72
Egoísmo • 56
Emoções • 67
Empatia • 14, 93
Engajamento • 65
Equilíbrio • 146
Escolhas • 38
Escuta • 33
Esperança • 38, 99, 113
Espírito santo • 127
Exemplo • 72
Família • 17, 41, 44, 47, 163
Fé • 108, 113, 115
Felicidade • 17
Filhos • 41, 44, 131
Firmeza • 76, 99, 110, 156
Fofoca • 33

Força • 104
Fortalecimento espiritual • 69, 82, 88, 93, 97, 99, 110, 140, 158
Fraqueza • 110
Frustração • 20
Futuro • 38
Generosidade • 14
Gentileza • 153
Gratidão • 97
Honestidade • 20, 84
Humildade • 50, 93
Idolatria • 142, 166
Idosos • 163
Ilusão • 50
Impulsividade • 67
Infidelidade • 168
Insegurança • 146
Intercessão • 74
Inveja • 56, 59, 142
Justiça • 62
Juventude • 54, 62, 65
Liderança • 69, 72, 74, 76, 78
Linguagem do amor • 127
Luz • 113
Mágoa • 93
Materialismo • 20, 80
Maturidade • 67, 124
Medo • 80
Melancolia • 82

Mentira • 84, 142
Misericórdia • 153
Missão • 131
Moderação • 146
Mundanidade • 80, 150
Natureza nova • 99, 102, 153
Natureza velha • 99, 142
Obediência • 47, 54
Ódio • 56, 142
Oração • 69, 74, 95, 97, 99
Paciência • 78, 88, 102
Paixão • 62, 67, 142
Palavra de deus • 131
Paternidade • 44
Paternidade de deus • 117
Paz • 41
Paz de espírito • 90
Pecado • 47
Pensamentos ruins • 41, 56
Perdão • 54, 93, 95
Perseverança • 36, 97, 99, 102, 104, 108
Persistência • 110
Preconceito • 153
Preguiça • 150
Prioridades • 17
Problemas conjugais • 122
Prosperidade • 17, 20
Proteção • 41, 56, 59
Provação • 115, 117

Prudência • 29, 146, 156
Raiva • 29, 93, 119, 122, 142
Recomeço • 26
Reconciliação • 33
Relacionamento • 26, 54
Renascimento • 124, 127
Repreensão • 11
Respeito • 26, 72
Rivalidade • 33
Romantismo • 26
Sabedoria • 62, 69, 129, 163
Sedução • 62, 69
Semeadura • 41, 131
Separação • 134
Serenidade • 36
Serviço • 72, 76
Soberba • 59
Sobrecarga • 146
Sofrimento • 137, 158
Suicídio • 137
Superação • 115
Superstição • 56
Temperança • 69, 88, 90
Tentação • 47, 69, 117
Tolerância • 41, 153, 163
Trabalho • 17
Traição • 168
Tristeza • 82, 137, 158
Unção • 127
União com cristo • 90, 140

Unidade • 74
Vaidade • 50, 80, 166
Valor pessoal • 11

Valores cristãos • 41, 62, 69
Vanglória • 59
Vícios • 161

INTRODUÇÃO

Todos enfrentamos situações na vida em que precisamos de conselhos, de uma palavra de sabedoria.

Mas onde buscá-los? Roda de amigos, mesa de bar, salão de beleza?

Bem... Não.

Conselhos todos podem dar, mas nem sempre nos convêm e nos servem. Mesmo pessoas boas, com as melhores intenções, podem dar conselhos maus.

Bons conselhos, conselhos assertivos e seguros, você encontra mesmo nos ensinamentos da Bíblia. A Palavra de Deus é a Luz que nos ilumina. Como diz o salmista: "Lâmpada para nossos pés é a tua Palavra" (Sl 119, 105).

Esta Luz está sempre à nossa disposição, porém nem sempre a buscamos ou a enxergamos. Em razão de nossa condição humana, somos falhos, e às vezes ignoramos essa Luz ou tomamos por luz aquilo que não é.

Muitos problemas, a maioria causada por nós mesmos, nos deixam sem direção, como um barco à deriva, sendo sacudido pelas ondas, pelos ventos. A Palavra de Deus nos mostra que é possível navegar com uma direção visível. Trata-se de um farol em meio à tempestade para quem está perdido; é uma referência, ilumina a escuridão.

Sempre há uma luz para brilhar em nossa vida. Não importa quão espessas sejam as camadas de trevas, um ponto iluminado, principalmente quando é de Deus, faz toda a diferença.

Quais são as sombras que encobrem sua vida neste momento?

Se está em uma situação difícil, sem norte, ou mesmo se tem algo na sua vida que gostaria de mudar, aqui você encontrará direcionamentos sobre como agir. Se, por outro lado, você vive uma fase de tranquilidade e boas perspectivas, também encontrará *insights* para permanecer no Bom Caminho e ajudar outros que necessitem desse direcionamento. Lembremos sempre que a virtude da caridade é a marca indelével de todo espírito cristão!

Esta obra é mais do que um livro: trata-se de um manual de vivência — isso mesmo, não apenas de mera *sobrevivência*, mas de uma *vivência* em Deus e com Deus, ajudando-nos a converter obstáculos e tribulações em experiências enriquecedoras das quais saímos mais fortalecidos espiritualmente. Pode parecer contraditório, mas, mais do que nunca, precisamos nos atentar para o que nunca foi segredo.

Como manual, você não precisa ler este livro do início ao fim de uma só vez. Trata-se de ensinamentos para serem buscados de tempos em tempos.

Tenha sempre à mão este guia de vivência em Deus!

AMOR DE DEUS
AUTOESTIMA
VALOR PESSOAL
REPREENSÃO
CORREÇÃO

Que tal pensar no seu real valor? Não aquele que os outros lhe dão, nem aquele que você exagera, mas o seu valor aos olhos de Deus...

"Não tenha medo, pois eu o salvarei; eu o chamei pelo seu nome, e você é meu. Quando você atravessar águas profundas, eu estarei ao seu lado, e você não se afogará. Quando passar pelo meio do fogo, as chamas não o queimarão. Pois eu sou o Senhor, seu Deus, o Santo Deus de Israel, o seu Salvador. Dei como pagamento o Egito, a Etiópia e Seba, a fim de que você fosse meu. Para libertar você, entrego nações inteiras como o preço do resgate, pois para mim você vale muito. Você é o povo que eu amo, um povo que merece muita honra. Não tenha medo, pois eu estou com você" (Is 43, 1-5).

> *"Porque o Senhor corrige quem ele ama, assim como um pai corrige o filho a quem ele quer bem"* (Pr 3, 12).

Sim, é possível sermos restaurados pela graça divina. Mas existem alguns pontos importantíssimos. O primeiro consiste em saber que você é amado por Deus. Essa experiência é fundamental.

No trecho bíblico de Isaías acima, Ele se dirige à chamada Nova Israel, que é a Igreja, e portanto também a cada um de nós, Seu povo. E é crucial o seguinte comando: "Não tenha medo (…); eu o chamei pelo seu nome." Ora, não foi assim em nosso Batismo?

Diante de Deus, não somos um número. Somos d'Ele, que afirma exatamente isso. Você não precisa ser de ninguém, porque já é de Deus. E Ele é o nosso amado. O que deve nos sustentar é justamente ter consciência desse amor mútuo, de todo o coração. Precisamos colocá-Lo como o amado da nossa vida, a razão da nossa existência.

A primeira característica do amor de Deus é a união. Ele nos ama e quer se unir a nós, dando-Se a Si mesmo, vivendo em nós por intermédio da graça. Não se trata de um amor distante, mas próximo. Seu amor é tão grande que quer nos aperfeiçoar. Deus sempre nos melhora: se estamos caídos, Ele nos levanta, porque Se compadece das nossas fragilidades e não olha para nós com desdém pelas nossas falhas. A proteção, o cuidado, o zelo fazem parte da promessa de Deus.

Seu amor é imutável, mas não é estático. Até nos entregar Jesus, Deus fez muito, e com Jesus Ele transbordou de amor.

Tudo à nossa volta pode passar, mas o amor de Deus por nós nunca acabará, e a aliança feita conosco por meio de Jesus é eterna.

CARIDADE
BONDADE
ALTRUÍSMO
EMPATIA
GENEROSIDADE

Hoje, você já fez alguém saber que é valioso para Deus? Não importa quem seja — pode ser um filho, um amigo, um colega... Vá em frente.

"Meu filho, não recuse ajudar o pobre, e não seja insensível ao olhar dos necessitados. Não faça sofrer aquele que tem fome e não piore a situação de quem está em dificuldade. Não perturbe mais ainda a quem já está desesperado e não se negue a dar alguma coisa ao necessitado. Não rejeite a súplica de um pobre e não desvie do indigente o seu olhar" (Eclo 6, 1-4).

"Ser bondoso com os pobres é emprestar ao Senhor, e ele nos devolve o bem que fazemos" (Pr 19, 17).

Dar de comer a quem tem fome é uma das obras de misericórdia corporais, e a fome dos nossos irmãos e irmãs deveria sempre doer em nós.

O mundo vive um momento de grande dificuldade, em que o número de pessoas em situação de vulnerabilidade aumentou drasticamente. Mais do que nunca, precisamos exercitar a nossa caridade.

Na paróquia onde atuo sempre enfatizo que o alimento excedente em nosso armário é aquele faltante na mesa dos nossos irmãos. Não deveria ser assim!

Como disse o Papa Francisco, quando o alimento é compartilhado de modo justo, a ninguém falta o necessário. O ideal seria que todos tivessem um trabalho com salário digno para sustentar a si e aos seus, mas cada vez nos distanciamos mais desse ideal.

O assistencialismo é uma forma paliativa de minimizar o problema. O mais eficiente seria "ensinar a pescar e não dar o peixe". Porém, a necessidade não conhece regras, e sempre digo para a Pastoral da Ação Social: primeiramente mate a fome; depois tentamos encontrar outras formas possíveis de ajudar.

Nesse contexto, não pense que doar cesta básica, roupas e agasalhos seja algo irrisório. Esse gesto pode parecer simples, mas tenha a certeza de que fará a diferença para uma família em situação delicada.

Não deixemos que nosso coração endureça a ponto de evitarmos olhar à nossa volta e enxergar a necessidade de irmãos e irmãs. Nós sempre mencionamos a fome, mas as necessidades podem ser outras, muitas vezes não materiais. Devemos ter sensibilidade e boa vontade para compreender.

Como diz a canção: "Fica sempre, um pouco de perfume nas mãos que oferecem rosas, nas mãos que sabem ser generosas." O próprio São Pedro constatou ao dizer que "a caridade cobre uma multidão de pecados" (1 Pd 4, 8).

Muito mais recebe aquele que doa!

DINHEIRO
PROSPERIDADE
TRABALHO
FAMÍLIA
FELICIDADE
BENS MATERIAIS
PRIORIDADES

Dê valor ao que tem valor. Você consegue identificar o que é valioso de verdade?

> *"Não se mate de trabalhar, tentando ficar rico, nem pense demais nisso. Pois o seu dinheiro pode sumir de repente, como se tivesse criado asas e voado para longe como uma águia" (Pr 23, 4-5).*
>
> *"A bênção do Senhor Deus traz prosperidade, e nenhum esforço pode substituí-la" (Pr 10, 22).*

Família perfeita e feliz parece ser aquela que está no porta-retratos. Isso não significa que devamos aceitar uma convivência amarga. Assim como o sucesso depende muito mais de transpiração que de sorte, a felicidade também é uma construção diária.

É preciso estar disposto a trabalhar diariamente para alcançar o bem-estar individual e familiar, tomando cuidado para não errar o foco e acreditar que basta ter dinheiro e reconhecimento profissional para sermos felizes. Não!

Em sua grande sabedoria, Salomão, autor do livro dos Provérbios, alertou para a inutilidade de gastarmos nosso precioso tempo na Terra correndo atrás de bens materiais. De uma hora para outra eles podem se perder — na primeira esquina, sem origem nem destino, exatamente como o vento — e ficamos ao léu.

Antes, precisamos entender quais são os motivos de insatisfação na vida a dois e buscar saná-los.

Dedicar-se a galgar alguns patamares na vida não é negativo — pelo contrário. Mas não pode se tornar a única prioridade e tampouco ensejar uma busca desenfreada por cada vez mais. É sintomático quando alguém me diz que fulano nunca está satisfeito e nunca se satisfaz. Engraçado que isso já foi apontado como qualidade ou diferencial dos verdadeiros campeões por muitos palestrantes motivacionais, mas, sinceramente, em vez de estimular, esse tipo de mentalidade só deve ter lotado o consultório dos terapeutas com inúmeras queixas de frustração.

Não estou demonizando o dinheiro, pois todos os que lutam merecem suas conquistas, e Deus tem em altíssima conta quem é honesto, justo e trabalhador. O que reafirmo é que, por mais que sejam fundamentais para uma vida com qualidade, os bens materiais não são essenciais para a felicidade na família. Lutar pelo necessário e priorizar a vida familiar é um conselho melhor para a felicidade do casal.

CASAMENTO
MATERIALISMO
AMBIÇÃO
FRUSTRAÇÃO
PROSPERIDADE
ABANDONO
HONESTIDADE

Quem é escravo de quem? Você trabalha para o dinheiro ou o dinheiro trabalha para você?

> *"Não se deixem dominar pelo amor ao dinheiro e fiquem satisfeitos com o que têm, pois Deus disse: 'Eu nunca os deixarei e jamais os abandonarei.'" (Hb 13, 5).*
>
> *"De nada servem os tesouros mal adquiridos" (Pr 10, 2).*

O casamento e o relacionamento, para um casal, deveriam ser mais importantes do que formar patrimônio. No entanto, tenho visto que o amor ao dinheiro muitas vezes fala mais alto. Desta forma, quando se instala um problema financeiro ou os objetivos econômicos não são alcançados, vem a frustração e, com ela, aquela série de acusações em que um transfere a responsabilidade para o outro.

Que história é essa de criar expectativas irreais sobre si mesmo e sobre a pessoa com quem dividimos a vida? Para onde isso tem nos levado, além da dependência de remédios controlados? Desculpe o "sincerismo", mas, como pai espiritual, não estou aqui para passar pano para ninguém. Vocês querem viver à luz de uma expectativa inventada, forjada por imagens bonitas postadas em redes sociais que vendem uma ilusão de felicidade e bem-estar? Ora, me poupem!

Se a nossa realidade e a de quem está ao nosso lado não é a do *bon vivant*, então nos frustramos e nos decepcionamos com ela. Viramos reféns daqueles conteúdos que parte da mídia nos vende e passamos a nivelar a nossa expectativa de felicidade com base em algo muito além do que a vida pode oferecer. Pobres maridos e esposas que projetam um no outro as expectativas do casal midiático que aparece perfeito na frente das câmeras, fazendo receita de comida sem sujar um único fio de cabelo com gordura...

A vida real não é isso, pelo amor de Deus! Este choque de realismo é muito válido precisamente para os casais, pois muitas vezes escuto de um ou de outro: "Eu tinha a expectativa de que nessa 'altura do campeonato' já teríamos muitos bens e tranquilidade financeira para viajar e aproveitar a vida..."

A culpa está na relação ou naquilo que foi idealizado? E todos os aprendizados que a vida a dois proporciona e que torna vocês maiores como seres humanos?

E principalmente: em que fundo de gaveta ou armário o coração desse relacionamento foi esquecido, a ponto de a expectativa de vida estar baseada unicamente na fruição da conta conjunta?

Infelizmente, há pessoas que são tão pobres que só conseguem acumular riquezas materiais. O bom senso está em controlar o dinheiro e não se deixar controlar por ele.

CASAMENTO
BRIGAS
AMOR
DESAMOR
ALTRUÍSMO

Um casal é chamado à santidade tanto quanto um monge ou o Papa. Você vive com essa realidade na cabeça?

"Marido, ame a sua esposa, assim como Cristo amou a Igreja e deu a sua vida por ela. [...] É por isso que o homem deixa o seu pai e a sua mãe para se unir com a sua esposa, e os dois se tornam uma só pessoa. [...] Cada um de vocês ame a sua mulher como a si mesmo, e a mulher respeite o seu marido" (Ef 5, 28.31.33).

"É por isso que o homem deixa o seu pai e a sua mãe para se unir com a sua mulher, e os dois se tornam uma só pessoa" (Gn 2, 24)

Amar e respeitar implicam zelar pelo outro, investir no relacionamento. Sei que não é uma tarefa simples.

Na fase de namoro, tudo é uma maravilha e todos são amorosos entre si. Contudo, depois que engatam no casamento, algumas pessoas mostram um lado nem sempre tão agradável.

O livro dos Provérbios diz que é melhor morar no fundo do quintal que numa mansão com uma mulher briguenta, rixosa. Isso vale também para o homem. Então, fica aqui o meu aconselhamento para todo casal: a raiva constante e não curada pode evoluir para um estado de desamor constante, o qual é extremamente tóxico — e não só para o relacionamento, como também para a saúde física e mental. Quando afirmo isso, fico pensando naquelas pessoas que envelhecem mal, cheias de manias que irritam o outro... Isso é sinal de pouco espírito de serviço, que é a pedra de toque do amor!

Devemos prestar atenção em alguns sinais: não assumir os próprios erros, não aceitar opinião contrária, não pedir desculpas, propagar negatividades, murmurejar constantemente... Nada do que o outro faz agrada mais ou é passível de um simples elogio. É claro que isso vale para relacionamentos entre amigos e no trabalho, mas sobretudo no âmbito do lar é preciso fazer um esforço para manter uma convivência harmônica.

Há pessoas que são excelentes e muito agradáveis "para consumo externo", como se costuma dizer quando alguém é cordial e simpático na vida social, mas entre quatro paredes age com agressividade e falta de respeito.

O que está errado?

As pessoas podem e devem ser amáveis dentro de casa. Em geral, é só questão de constância, de começar e recomeçar — em suma, de um esforço constante, de uma "determinada determinação", como dizia Santa Teresa. A vida pode ser mais leve quando somos menos estressados e intransigentes. Quem ama faz tudo que está ao seu alcance para que todos fiquem bem.

Nós devemos deixar saudades também dentro da nossa casa, quando não estamos. Os familiares devem sentir nossa falta pelo bom humor, pelo carinho, por sermos pessoas agregadoras: em síntese, pelo amor.

Finalizo citando um pensamento do Papa Bento XVI: "Justiça é dar ao outro o que é dele. Amor é dar ao outro o que é meu."

RELACIONAMENTO
BRIGAS
ROMANTISMO
DIFERENÇAS
RESPEITO
RECOMEÇO

Quem cai e fica se revirando na lama é porco. Aprenda a recomeçar.

> "Mulheres, sejam solícitas a seus maridos, pois assim convém a mulheres cristãs. Maridos, amem suas mulheres e não sejam grosseiros com elas" (Cl 3, 18-19).
>
> O amor é paciente e bondoso. Não é ciumento, nem orgulhoso, nem vaidoso. Não é grosseiro nem egoísta. Não fica irritado nem guarda mágoas. Tudo suporta, tudo espera (1 Cor 13, 4-7).

Tudo se resume a amar. O amor é fundamental no matrimônio e deve ser o principal pedido feito pelos casais ao rezarem. Isso parece óbvio, mas infelizmente ainda não está claro para muitos. Jesus nos ensinou a amar os inimigos e também o diferente, uma categoria na qual podemos incluir o amor entre duas pessoas distintas.

O que é o casamento senão a união de duas pessoas completamente diferentes entre si?

Dois indivíduos que possuem, cada qual, a sua própria bagagem: carga genética, hereditariedade, histórico familiar, traumas, perdas, problemas, vitórias, conquistas, expectativas e outros. No entanto, ainda não se trata de um abismo instransponível, e essas duas pessoas se unem para formar uma só carne. O marido não perderá a sua identidade porque a história dele é única e intransferível, assim como a da esposa. É essa personalidade e história do seu cônjuge que constitui a estrada que levará você ao céu — ao menos se você optar radicalmente pelo amor.

Demonstre o quanto você ama! Às vezes a convivência desgasta, mas, quando alimentamos o amor, ele não morre. Amar é também querer amar.

Um pouco de romantismo ajuda. Romance não é apenas invenção para agradar público de novela ou filme e pode ser incorporado à vida do casal. Não precisa ser aquela "coisa melada", com cuidados excessivos, mas sempre que possível é bom fugir da mediocridade do dia a dia — com uma lembrança especial, uma atitude de gentileza, um gesto de carinho extraordinário...

Amor é altruísmo, por isso a Bíblia também contém romantismo: "Como você é bela, minha querida, como você é linda, como seus olhos brilham de amor."

"Como você é belo, meu querido, como você é encantador." "Ah, com um só olhar, meu amor, como a pérola do seu colar, você roubou meu coração" (Ct 1,15-16.4,9).

Você, marido, tem coragem de dizer essas palavras para sua esposa ainda hoje? E você, esposa, tem coragem de dizê-las para o seu marido?

Tomem cuidado, pois o casamento pode se tornar uma mera convivência enfadonha entre duas pessoas, com cada um cumprindo apenas o seu papel no dia a dia, mas indiferentes um ao outro, sem se complementarem de fato.

Amem-se! O amor não se esgota. Quanto mais o casal compartilha amor, mais se aperfeiçoa no amar.

PRUDÊNCIA
CASAMENTO
COMUNICAÇÃO
RAIVA
COMPREENSÃO
DIÁLOGO

Dois ouvidos e uma só boca: essa aritmética não falha nunca. Fale menos e ouça mais.

> *"Lembrem disto, meus queridos irmãos: cada um esteja pronto para ouvir, mas demore para falar e ficar com raiva"* (Tg 1, 19).
>
> *"A resposta delicada acalma o furor, mas a palavra dura aumenta a raiva"* (Pr 15, 1).

É fácil enxergar o defeito dos outros e difícil enxergar os nossos. Portanto, há de se ter prudência para evitar que conflitos surjam no casamento, e mais ainda para solucioná-los.

Muitos casais sabiamente decidem ficar em silêncio sobre certos assuntos mais sensíveis. E, de fato, há tempo para falar e tempo para calar. Vale lembrar, ainda, que, na comunicação conjugal, deve-se tomar cuidado com aquele tipo de silêncio revanchista, do tipo "não tenho nada para te dizer". Muitas vezes isso machuca mais do que palavras de discordância.

Em todo caso, meu conselho mais assertivo para todos os casais é este: procurem dialogar pela ótica do amor sempre, sem acusações.

No momento de enfrentar os problemas, o segredo está precisamente naquela comunicação amorosa que não deixa de pontuar o que pensamos e buscamos, mas de maneira caridosa. Muito mais que conversar, comunicar é dar atenção. O corpo também fala, então não fique de braços cruzados diante do outro; se possível, toque no seu esposo, na sua esposa. Tocar em alguém íntimo é sinal de empatia.

Saber ouvir também é fundamental. Deixar a outra pessoa falar e terminar a frase, dar tempo para formular a resposta... Caso contrário, não escutamos, porque, enquanto o outro está falando, internamente nossa mente está se armando com argumentos. Isso provoca equívocos de intepretação, fazendo parecer que não valorizamos o fato de a pessoa ter aberto seu coração e estamos preocupados apenas em justificar nossos atos. Nesse caso, o diálogo não acontece.

Como, pois, melhorar nossa comunicação nos momentos de enfrentamento?

Antes de tudo, é preciso acolher a pessoa como um todo; essa é uma atitude cristã. Se ela está se expondo dessa maneira diante de você, significa que quer compartilhar seus pensamentos, suas dores, suas feridas. Então, em primeiro lugar, é necessário ouvir com os ouvidos e com a alma.

Um segundo ponto importantíssimo consiste em escolher o momento certo de falar. Isso é uma arte! Se a outra pessoa está estressada, "infernizada", a conversa não surtirá o efeito desejado. Não fique repetindo o mesmo tópico incessantemente, como aqueles antigos CDs enguiçados. Os primeiros minutos de conversa também são cruciais, então também não comece apontando o dedo, com cobranças do estilo "Você fez isso e aquilo…". Inverta o foco e procure mostrar como se sentiu diante das atitudes alheias, trazendo o cônjuge para o seu lugar, pois isso abre o leque da compreensão.

Por fim, o mais importante: peça sempre a luz e a ação do Espírito Santo.

Oração
FAMÍLIA

Senhor, confiante na Tua força e poder,
venho suplicar a cura de todos os males da minha casa.
Peço-Te que, da Chaga de onde jorrou sangue e água,
jorre a graça para curar a minha família.
Cura, Senhor, as doenças do corpo,
livra-nos de todo tipo de câncer.
Cura qualquer doença psíquica
presente na minha família.
Cura todo mal psicológico, afetivo e espiritual.
Cura os desvios comportamentais e de caráter.
Cura toda espécie de imoralidade, vício e compulsão.
Cura a incredulidade e a dureza de coração.
Cura os relacionamentos e restaura
o que precisa ser restaurado.
Dá-nos equilíbrio emocional.
Cura, Senhor, liberta e restaura minha família.
Amém.

CORREÇÃO FRATERNA
RIVALIDADE
FOFOCA
ESCUTA
COMPREENSÃO
RECONCILIAÇÃO

Você consegue dar nomes a tudo o que deseja e sente? Sem isso, não é possível melhorar. Chame a si mesmo para conversar.

> *"Se o seu irmão pecar contra você, vá e mostre-lhe o seu erro. Mas faça isso em particular, só entre vocês dois. Se essa pessoa ouvir o seu conselho, então você ganhou de volta o seu irmão" (Mt 18, 15).*
>
> *"Aquele que aceita ser repreendido anda no caminho da vida, mas quem não aceita cai no erro" (Pr 10, 17).*

O bom cristão, seja ele uma liderança ou não, corrige fraternalmente. Vale lembrar que todo mundo comete faltas, e a correção fraterna é um ato de amor sempre — ou, melhor ainda, uma obra de misericórdia.

Se vemos um irmão errar e não dizemos nada, estamos nos omitindo e, em certa medida, compactuando com esse malfeito. A omissão é um pecado sobre o qual também seremos cobrados, pois com ele, mesmo tendo consciência, nós permitimos que nosso irmão caia em desgraça.

Para corrigirmos com amor, é preciso exercitar o dom da compreensão. Isso significa tentar entender o temperamento da outra pessoa, que muitas vezes é a razão principal que a levou a agir de uma determinada maneira. Também é muito útil recordar as nossas próprias faltas, pois saber-se falho aumenta a capacidade de se compadecer sinceramente do outro.

Existem duas atitudes extremamente perniciosas nos ambientes que frequentamos, desde a nossa casa até a própria igreja, passando pelo local de trabalho, pela vida comunitária, pelas mais diversas instituições: trata-se de ver o erro e passar à difamação. Isso não apenas tira do violador a chance de aprender com a própria falta e de se regenerar, como também piora sobremaneira a convivência com os seus pares.

A correção fraterna, ao contrário, é feita no momento oportuno, com clareza, humildade e discrição. Há de se fazê-lo como o Coração de Jesus faria: respeitando as limitações daquele que errou e acreditando nos dons que ele tem.

Aprendamos com Jesus a olhar além: por exemplo, enquanto todos viam Zaqueu como pecador corrupto, Jesus viu a sua essência. A salvação entrou na casa de Zaqueu, ao que ele se converteu e se tornou um homem honesto e generoso.

Escutemos quem erra e o apoiemos, para que erga a cabeça e se regenere. "Portanto, se trouxeres a tua oferta ao altar e aí te lembrares de que teu irmão tem alguma coisa contra ti, deixa ali diante do altar a tua oferta, e vai reconciliar-te primeiro com teu irmão, e depois vem, e apresenta a tua oferta" (Mt 5, 23-24).

DESÂNIMO
ASSERTIVIDADE
PERSEVERANÇA
SERENIDADE
CAIR E LEVANTAR
BÊNÇÃO

Algumas coisas não dependem de você. Fale com quem resolve.

> "Confie no Senhor de todo o coração e não se apoie na sua própria inteligência. Lembre-se de Deus em tudo o que fizer, e ele lhe mostrará o caminho certo" (Pr 3, 5-6).

> "Venham a mim, todos vocês que estão cansados de carregar as suas pesadas cargas, e eu lhes darei descanso" (Mt 11, 28).

Muitos são os desafios que enfrentamos, e inúmeras vezes temos de lutar contra o desânimo. Isso gera muito desgaste e, mesmo que conheçamos as causas concretas, nos sentimos sem forças para lutar e contornar a situação.

A grande boa-nova é que temos um Deus que está sempre pronto a nos ajudar. Aqui me ocorre o que disse Jesus: "Peçam e receberão; procurem e acharão; batam, e a porta será aberta. Porque todos aqueles que pedem, recebem; aqueles que procuram, acham; e a porta será aberta para quem bate. Por acaso algum de vocês, que é pai, será capaz de dar uma pedra ao seu filho, quando ele pede pão? Ou lhe dará uma cobra, quando ele pede um peixe? Vocês, mesmo sendo maus, sabem dar coisas boas aos seus filhos. Quanto mais o Pai de vocês, que está no céu, dará coisas boas aos que lhe pedirem!" (Mt 7, 7-11).

Prestemos atenção aos verbos "pedir", "procurar", "bater". Será que estamos fazendo isso?

Jesus enfatiza o papel de Deus como Amigo e O revela como Pai. Isso é maravilhoso! Mas será que realmente praticamos esse gesto de bater na porta do nosso Amigo? Perceba que esse "bater" é o mesmo que tomar uma atitude para atender a determinada necessidade ou solucionar um problema.

Saiamos do lodo do pessimismo e da areia movediça do desânimo. Saiamos do lodo e do manguezal terrível da desesperança. Procuremos identificar o que está nos faltando ou fazendo mal e busquemos resolvê-lo.

É o Senhor quem garante: "Vocês receberão." Procure, pois o Senhor não tem outra palavra: "Encontrarão." Bata, mas bata forte, fervorosamente, esperneie junto ao coração do Senhor que a porta se abrirá.

ESPERANÇA
CONVICÇÃO
CORAGEM
ESCOLHAS
FUTURO
CONFIANÇA
DIREÇÃO

Você não é uma bússola quebrada: só não está apontando para o Norte.

> *"Procure respeitar e obedecer a Deus todos os dias da sua vida. Assim o seu futuro será brilhante e você não perderá a esperança"* (Pr 23, 17-18).
>
> *"Mas a esperança volta quando penso no seguinte: o amor do Senhor Deus não se acaba, e a sua bondade não tem fim"* (Lm 3, 21-22).

A esperança é por excelência a virtude de que necessitamos para atravessar as tormentas que temos vivido neste mundo beligerante. Esperança para traçar objetivos, planejar, sonhar, recomeçar e renovar as forças. Esperança para ressignificar os sofrimentos, reconstruir aquilo que desabou e nos preparar para os recomeços...

Mesmo diante das dificuldades, em tempos de muitas incertezas, ter um projeto de vida é uma necessidade real e intensa de todo ser humano. Sonhar também faz parte da vida. Sem sonhos começamos a morrer, ou vivemos para realizar os sonhos de outros.

Por isso é importante planejar, ou seja, saber aonde queremos chegar e traçar estratégias para isso, o que abrange todas as esferas da vida: pessoal, familiar, social, profissional, financeira e, claro, espiritual. Se não temos um projeto de vida, perdemos o rumo e não chegamos a lugar algum!

Esperança é diferente de espera. Esta última caminha no plano das possibilidades de algo ocorrer ou não. Já a esperança é a certeza de que, não importando as condições contrárias nem o tempo que demore, esse algo chegará. Trata-se daquele olhar para o futuro acreditando e considerando que tudo será melhor, apesar dos sofrimentos e das contingências enfrentadas.

Ao contrário da espera, a esperança nunca é passiva. Santo Agostinho assim definiu: "A esperança tem duas filhas lindas: a indignação e a coragem; a indignação nos ensina a não aceitar as coisas como estão; a coragem, a mudá-las."

A virtude da esperança nos faz ter convicção, coragem e confiança em Deus e em sua Palavra, bem como promover mudanças importantes em nossos âmbitos de atuação, desde o ambiente familiar até a sociedade.

Fruto da fé, a esperança também é o seu sustento. Ela só tem sentido em Jesus, pois Ele dá rosto à nossa esperança. Ninguém pode esperar de Deus a vida eterna se antes não colocar sua confiança nas promessas de Jesus Cristo, que dá a conhecer o Pai ao fazer-se um de nós.

A esperança nos impulsiona a dar um passo a mais no crescimento espiritual e não nos deixa desanimar em meio às tragédias. É como uma mola que nos impulsiona a continuar, nos motiva a perseverar e a persistir buscando, lutando por dias melhores. Mais que tudo, é uma virtude teologal, a qual leva o homem a desejar e alcançar a vida eterna e o Reino de Deus como felicidade última.

Portanto, se a bússola de sua esperança estiver apontando para Deus, então está calibrada: é Ele o Norte. Siga o caminho d'Ele e seu futuro será brilhante.

**FAMÍLIA
FILHOS
EDUCAÇÃO
BRIGAS
PENSAMENTOS RUINS
TOLERÂNCIA
PAZ
SEMEADURA
VALORES CRISTÃOS
BÊNÇÃO
PROTEÇÃO**

Ensinamentos de pai e mãe deveriam ser gravados no espelho do banheiro, para serem lidos todos os dias. Talvez os dois não tenham tido estudo, mas têm muita sabedoria. Recorde os conselhos recebidos na infância. Você os segue até hoje?

> *"Filho, faça o que o seu pai diz e nunca esqueça o que sua mãe ensinou. Leve sempre as palavras bem gravadas no coração. Os seus ensinamentos o guiarão quando viajar, protegerão você de noite e aconselharão de dia" (Pr 6, 20-22).*
>
> *"Quem despreza o que o pai ensina é tolo, mas quem aceita a sua correção é sábio" (Pr 15, 5).*

A maioria dos pais sempre se preocupa em deixar algo que garanta, ao menos em parte, a estabilidade financeira dos filhos, o que é louvável. Contudo, o maior legado que podem deixar são os valores morais transmitidos.

Existem alguns princípios que devem ser ensinados desde a primeira infância, os quais servirão para uma conduta equilibrada ao longo da vida. Entre eles estão o respeito e a tolerância com o próximo, algo cuja ausência temos assistido, abismados, nessa enxurrada de agressividade que domina as nossas redes sociais.

Mãe, pai, ensinem seus filhos a serem pessoas tolerantes, pois o mundo não precisa mais de guerras e desavenças. O nosso Sumo Pontífice, o Papa Francisco, não se cansa de pedir pela paz no mundo, e devemos nos unir em oração por isso; mas as pessoas se esquecem de que ela começa dentro de casa, onde nossa atuação prática tem efeitos imediatos.

Por isso é preciso ensinar os mais novos a terem um amor-próprio sadio: o orgulho e a ciência de serem filhos de Deus. Quem se assemelha a Deus não sai por aí criticando por criticar, não é? Ensinemos nossos jovens a serem tementes a Deus e gratos por tudo o que têm. Jesus não nasceu pronto: quis ser criança e ir adquirindo conhecimento como todos nós. Humanamente falando, sabia o que seu povo sabia. Ia adquirindo as habilidades cognitivas e espirituais da mesma maneira que nós.

Como disse São João Paulo II, a plenitude da graça de Jesus era relativa à sua idade. A tomada de consciência foi crescente, conforme foi se desenvolvendo. Por isso aquele período em Nazaré com sua família foi de grande importância. Ele quis se submeter a um pai e uma mãe como nós!

A pergunta que todo pai e toda mãe devem se fazer é esta: "Meu filho está crescendo em sabedoria e graça diante de Deus e dos homens?" E ainda: "Como educadores, vivemos de fato aquilo que ensinamos aos nossos filhos?"

A vida pode tomar vários rumos, mas a semente plantada na infância sempre será determinante. As palavras ditas pelo pai e pela mãe ficam gravadas no coração e na alma dos filhos.

FAMÍLIA EDUCAÇÃO FILHOS PATERNIDADE

Pai, mãe, seus filhos os vão imitar. Estão preparados?

> *"Filhos, o dever cristão de vocês é obedecer ao seu pai e à sua mãe, pois isso é certo. Como dizem as Escrituras: 'Respeite o seu pai e a sua mãe.' E esse é o primeiro mandamento que tem uma promessa, a qual é: 'Faça isso a fim de que tudo corra bem para você, e você viva muito tempo na terra.' Pais, não tratem os seus filhos de um jeito que faça com que fiquem irritados. Pelo contrário, vocês devem criá-los com a disciplina e os ensinamentos cristãos" (Ef 6, 1-4).*
>
> *"Fale com sabedoria e ensine com amor" (Pr 31, 26).*

Gosto demais de olhar os fatos por uma outra perspectiva. No caso de pais e filhos, normalmente os conselhos são dados para os filhos, que certamente devem obediência e respeito aos seus progenitores. Como ensina o Catecismo da Igreja Católica: "O quarto mandamento é o primeiro da segunda tábua, e indica a ordem da caridade. Deus quis que, depois de Si, honrássemos os nossos pais, a quem devemos a vida e que nos transmitiram o conhecimento de Deus. Temos obrigação de honrar e respeitar todos aqueles que Deus, para nosso bem, revestiu da sua autoridade" (n. 2197). Mas e quanto aos pais? Que conselho a sabedoria da Bíblia nos traz?

Curiosamente, a convivência familiar é como uma moeda cujas faces se espelham. Sim, quando os filhos se tornam mais "pesados", é justamente o momento em que mais precisam dos pais, e não de abandono. Portanto, faço questão de alertar aos pais para que não sejam intransigentes a ponto de tornarem a vida dos seus filhos insuportável. Muitas vezes os filhos não veem a hora de sair de casa porque não suportam a convivência com a família.

Existem lares que mais parecem uma praça de guerra! Discute-se por nada e por tudo, com palavrões e desavenças voando feito granadas para todo lado. É reclamação por causa da roupa suja, pelo som alto, porque os filhos não arrumaram a cama... Corrigir é necessário e salutar, mas a intransigência não educa.

A tolerância é a base de todo relacionamento saudável, e entre pais e filhos não é diferente. Não canso de falar que é melhor uma peça de vestuário do avesso esquecida no chão do banheiro do que uma casa toda arrumadinha, mas vazia.

Voltemo-nos, pois, para Jesus. Os anos em que esteve sob o mesmo teto com José e Maria tiveram uma importância crucial no Seu desenvolvimento: com José, aprendeu a Palavra de Deus e a rezar; com Maria, a virtude da obediência doce. Foi um período de preparação para sua relação com o Pai e com todas as pessoas em seu ministério público, e por isso podemos dizer ao jovem de hoje que a convivência em família tem um porquê. E todos sabemos que, na grande maioria dos casos, não é para sempre que pais e filhos estarão próximos.

Por algum tempo, os pais mandam nos filhos; depois, os filhos copiam seus gestos. Aquelas atitudes que os convencem, eles levam para a vida, sejam elas boas ou más. Daí o cuidado que se deve ter com aquilo que é transmitido aos filhos.

Assim como Maria e José, recomendo a todos os pais e mães que se preparem para terem e ensinarem aos filhos uma profunda relação com Deus. Isso se faz por meio da prática e do exemplo.

FAMÍLIA
PECADO
TENTAÇÃO
DIABO
OBEDIÊNCIA

Sabe aquele seu pecadinho de estimação? O que ele faz ao seu coração e à sua alma não é tão agradável assim...

> *"Obedeçam a Deus e enfrentem o Diabo, que ele fugirá de vocês" (Tg 4, 7).*
>
> *"Ó Senhor Deus, ensina-me a entender as tuas leis, e eu sempre as seguirei" (Sl 119, 33).*

Este conselho é voltado para a família, porque ela é um dos alvos mais visados pelo Inimigo e seu séquito. Tenho dito com frequência que existem duas instituições que o Diabo quer atingir: uma é a Igreja e a outra é justamente a família. Podem acreditar!

Infelizmente, cada vez mais o verbo "obedecer" tem sido mal interpretado, e o Diabo aplaude esse tipo de rebeldia porque facilita muito o seu trabalho. Vejamos:

Jesus foi obediente ao Pai, Nossa Senhora foi obediente a Deus... e nós não queremos ser obedientes a ninguém! O culto exagerado à liberdade e ao hedonismo tem feito com que não aceitemos a submissão. É como se ajoelhar-se fosse algo depreciativo ou digno de comiseração.

Será que obedecer a Deus é tão difícil? Se formos obedientes a Deus conseguiremos resistir ao Diabo, e ele será banido. Não esqueçamos que o Diabo é um cão amarrado, por isso não morde quem passa longe, mas apenas àqueles que se aproximam dele.

Se hoje o Inimigo está dentro da nossa casa, foi colocado nesse lugar por nós mesmos. Uma vez instalado, ele ataca o relacionamento conjugal e familiar e se delicia ao ver uma família destroçada.

Uma das sementes do mal que ele semeia é o ciúme. Muitas pessoas consideram o sentimento de posse uma prova de amor, mas não é. Quem ama cuida, zela, e isso nada tem a ver com posse. Outra semente é a da discórdia. Vejam no Paraíso: o Inimigo incitou a discórdia, o egoísmo e o orgulho no primeiro casal.

Ainda há a erva daninha da indiferença, como quando marido e esposa deixam de se importar um com o outro. Um deles chega eufórico para contar uma conquista, ou mesmo triste para partilhar um problema, e o outro nem dá bola.

Pensemos sempre: a responsabilidade por esse desencontro é apenas do Diabo?

Não, também é de quem aceitou agir como cúmplice dele.

Sempre temos a opção de não permitir essa intervenção maléfica. O antídoto para tanto é manter-se próximo do essencial, ou seja, colocar Deus no centro do matrimônio, viver com a certeza de que Deus está perto, vendo tudo, escutando tudo, torcendo por nós.

HUMILDADE
CONSCIÊNCIA
CORREÇÃO
ARROGÂNCIA
ILUSÃO
VAIDADE

Seja simples e confunda o arrogante. Ou será você o arrogante?

> *"Não façam nada por interesse pessoal ou por desejos tolos de receber elogios; mas sejam humildes e considerem os outros superiores a vocês mesmos. Que ninguém procure somente os próprios interesses, mas também os dos outros. Tenham entre vocês o mesmo modo de pensar de Cristo Jesus: Ele tinha a natureza de Deus, mas não tentou ficar igual a Deus. Pelo contrário, abriu mão de tudo o que era seu e tomou a natureza de servo, tornando-se assim igual aos seres humanos. E, vivendo a vida comum de um ser humano, foi humilde e obedeceu a Deus até a morte, e morte de cruz" (Fl 2, 3-8).*

> *"Felizes as pessoas humildes, pois receberão o que Deus tem prometido" (Mt 5, 5).*

Jesus é nosso modelo de humildade: não se prevaleceu de sua condição divina e em tudo, menos no pecado, assumiu nossa natureza humana.

A humildade em nada nos deprecia em relação aos outros. Pelo contrário. Os humildes serão exaltados. Porém, é preciso entender melhor essa virtude em sua essência.

Ser humilde não significa ser inferior, ser comandado ou ser o "pato" dos outros. Tampouco está relacionado ao conceito de empobrecimento; afinal, existem pessoas abastadas que transbordam essa virtude.

Não se trata, portanto, de ser medroso, tímido, inferior. Não! Praticar a virtude da humildade é, antes de tudo, reconhecer-se como filho de Deus, ter consciência das próprias capacidades, mas também das fraquezas e limitações. É ter virtude, ser despojado e manter os pés no chão.

A humildade leva a pessoa a reconhecer os próprios erros, aceitar a correção e buscar acertos, mantendo o espírito livre para crescer no bem e na caridade.

Sinceramente, esta não é uma virtude fácil de se exercer, porque todos nós temos, em menor ou maior grau, nossas vaidades, ideias ilusórias de nós mesmos, falsas pretensões de poder e prestígio. Mas a humildade é uma das virtudes mais lembradas pelas Sagradas Escrituras e devemos nos esforçar em cultivá-la.

Deus, em Sua infinita sabedoria, quer que sejamos justamente o que a palavra humildade significa: terra fértil (do latim *humus*), na qual a semeadura divina possa germinar e dar frutos.

Oração
LIBERTAÇÃO DO MAL

Senhor Jesus, pelo Teu santo Nome,
pela intercessão de Nossa Senhora,
que pisa na cabeça da serpente,
com o auxílio do Arcanjo Miguel,
livra-me do mal.
Do mal da angústia e da tristeza, livra-me, Senhor.
Do mal do ódio e da inveja, livra-me, Senhor.
Do mal dos vícios, compulsões e
impurezas, livra-me, Senhor.
Do mal da negatividade e do
pessimismo, livra-me, Senhor.
Do mal da luxúria e da vaidade, livra-me, Senhor.
Do mal da violência e das traições, livra-me, Senhor.
Do mal das doenças, da depressão e
do câncer, livra-me, Senhor.
Do mal dos sentimentos mundanos, livra-me, Senhor.
Do mal das paixões desordenadas, livra-me, Senhor.
Divino Redentor, livra-me de todos os males
que podem colocar em risco minha salvação.
Amém.

JUVENTUDE
ADOLESCÊNCIA
OBEDIÊNCIA
RELACIONAMENTO
PERDÃO

Você usa a sabedoria dos que já têm experiência ou prefere errar por conta própria?

> "E vocês, jovens, sejam obedientes aos mais velhos. Que todos prestem serviços uns aos outros com humildade, pois as Escrituras Sagradas dizem: 'Deus é contra os orgulhosos, mas é bondoso com os humildes!'" (1 Pd 5, 5).

> "Como pode um jovem conservar pura a sua vida? É só obedecer aos seus mandamentos" (Sl 119, 9).

A humildade é uma virtude fundamental dentro e fora de casa. Essa história de que "fulana só é boazinha com sua turma" ou "sicrano trata os seus como uma seda e os outros a ferro e fogo" é receita para se perder. Desculpe pela franqueza, mas ninguém se faz sozinho e todos nós precisamos uns dos outros, em todos os seguimentos e profissões.

Agradecer por cada gesto de serviço ou trabalho, ser afável com o outro no trato, significa referendar que ninguém é superior a ninguém. Não existe dono da palavra e muito menos donos do mundo. Ou melhor: Deus é dono da verdade e Senhor do mundo, e mesmo Ele disse ter vindo "não para ser servido, mas para servir" (Mc 10, 45)! Cada um tem seu valor. E todos juntos devem colaborar para a disseminação da grande Verdade que é a Palavra de Deus.

Humildade vem do termo grego *humus*, que é o melhor barro, a terra com a qual Deus nos fez. Por isso ela confere um desenvolvimento saudável aos relacionamentos. Já a soberba e a falta de respeito levam conhecidos, amigos e familiares a não dialogarem e a não aceitarem a opinião uns dos outros, afastando-se em razão de posições opináveis e, portanto, subjetivas.

Se há pontos de desentendimento, como temos visto em relação à pauta dos costumes e da política, é importante que se busque um acordo.

Reconhecer que ninguém é perfeito e todos são passíveis de errar é demonstração de humildade e predispõe ao perdão. Sem humildade não há relacionamento possível, e é preciso aprender isso desde cedo, desde já. Só temos o agora!

**INVEJA
COBIÇA
EGOÍSMO
PENSAMENTOS RUINS
ÓDIO
AMARGURA
SUPERSTIÇÃO
BÊNÇÃO
PROTEÇÃO**

Admirar uma pessoa é reconhecer o que ela tem de bom. Invejá-la nos torna seus escravos.

"Se no coração de vocês existe inveja, amargura e egoísmo, então não mintam contra a verdade, gabando-se de serem sábios" (Tg 3, 14).

"A paz de espírito dá saúde ao corpo, mas a inveja destrói como câncer" (Pr 14, 30).

A inveja se revela na tristeza sentida diante do êxito ou do bem-estar de outra pessoa, bem como no desejo incontrolável de se apropriar disso. Trata-se de um sentimento amargo de desgosto em relação às vitórias, às conquistas, à felicidade ou, simplesmente, ao jeito de ser daquele que é invejado.

Geralmente, o invejoso começa querendo ter aquilo que o outro tem ou ser o que o outro é. Ainda pode se tornar pior quando surge o desejo de que o outro perca o que possui. O coração do invejoso é egoísta. Quer só para si, e por isso, às vezes, não basta ter, mas ver o outro perdendo o que tem.

Não há pré-requisito para que a inveja se manifeste. Ela está presente em todas as classes e grupos sociais, incluindo os religiosos. No Antigo Testamento, há exemplos de homens que, movidos pela inveja, mentiram, roubaram e até mataram, como a conhecida história de Caim e Abel. Movido por esse sentimento, Caim chega ao extremo de derramar o sangue do irmão (cf. Gn 4, 1-8). Lembremos que a inveja também foi um dos motivos pelos quais Jesus foi morto.

A inveja em si já é um tipo de assassinato, na medida em que priva os irmãos dos nossos afetos e da honra a que têm direito naturalmente. Em casos extremos, chega a separar e extinguir determinada pessoa da nossa vida a fim de minar a sua felicidade e o seu bem-estar.

Esse sentimento também conduz à difamação, a popular fofoca, com o intuito de destruir a reputação e a imagem daquele que é alvo da inveja. O ódio e o regozijo com a desgraça alheia também são desdobramentos comuns, uma vez que o sucesso do outro incomoda profundamente o invejoso.

Temos de estar prontos para fazer um exame de consciência diário a respeito disso, porque nossa tendência é apontar o dedo para os defeitos dos outros e sermos tolerantes com aquela "invejinha" que sentimos. Afinal, como explicar tanta inveja no mundo se ninguém se assume como tal, não é mesmo? E o primeiro passo sempre começa por nós mesmos, por identificar e modificar essas faltas com constância.

Trabalhemos, pois, esse sentimento negativo com vigor. A melhor forma de fazê-lo é por meio da substituição de defeitos por virtudes, transformando, por exemplo, materialismo exagerado, cobiça, sentimento de posse e aniquilação em seus opostos: altruísmo, generosidade, desapego, edificação etc. Também é importante pedir a Deus a graça da libertação do sentimento ruim da inveja.

Cada um deve reconhecer, sincera e honestamente, o quanto há de inveja em seu coração e, confiante na misericórdia de Deus, combater esse sentimento. Reconhecendo nosso próprio valor, não nos sentiremos frustrados com os bens e a felicidade dos outros, mas nos regozijaremos nesse Deus que "faz nascer o seu sol sobre maus e bons e faz cair chuva sobre justos e injustos" (Mt 5, 45).

INVEJA
SOBERBA
VANGLÓRIA
PROTEÇÃO

Quando olhar para o outro, imite-o no que é bom e não se detenha em seus defeitos. É isso o que você costuma fazer?

> *"Não sejamos ambiciosos de glória, provocando-nos mutuamente e tendo inveja uns dos outros" (Gl 5, 26).*
>
> *"Como diz a Escritura: 'Aquele que se gloria, que se glorie no Senhor'" (1 Cor 1, 31).*

Este conselho é muito útil para quem gosta da vanglória, aquele tipo de engrandecimento decorrente de suas conquistas e sucessos, sentindo prazer em ser invejado. Como escreveu São Tiago, onde há inveja e egoísmo, também há confusão e todo tipo de coisas más (cf. Tg 3, 16), o que vale tanto para o invejoso quanto para os seus alvos.

"Mas, padre, que culpa eu tenho de ser invejado?", alguém pode perguntar. De imediato, respondo que não se trata de culpa, mas de estar envolvido em um círculo negativo que nos aprisiona espiritualmente, e isso acarreta consequências de impacto psicológico e até físico. Por isso, em hipótese alguma devemos alimentar a inveja alheia; e, além disso, é preciso buscar a forma correta de se proteger.

A primeira coisa a fazer é acreditar com fé naquilo que disse São Paulo: "Se Deus é por nós, quem será contra nós?" (Rm 8, 31). Ou seja, se estamos com Deus e em Deus, não é preciso temer mal algum, venha de quem vier.

Sim, é verdade: o grande perigo são as ações dos invejosos, porque Deus respeitará o livre-arbítrio dessa gente — então, aliando a inveja a outras falhas de caráter que eventualmente possam ter, elas acabarão tentando prejudicar o alvo de sua inveja. Por exemplo, no trabalho, é muito comum alguém sofrer aquela famosa "puxada de tapete". Então, ao saber ou desconfiar de que alguém cobiça o seu lugar ou deseja mal a você, evite comentar que foi elogiado pelo chefe ou está prestes a receber um aumento, assim como revelar planos, conquistas... Esse tipo de autopropaganda acaba alimentando ainda mais a sanha do invejoso. Lembre-se: mesmo que você não tenha culpa, não podemos alimentar os erros alheios. Seria falta de caridade.

E nada de acreditar em amuletos e outras superstições, pois a oração é a maior proteção. Particularmente, gosto muito da oração de São Bento, que também foi vítima desse mal, e recomendo-a como forma de manter-se a salvo de todas as ciladas preparadas pelos inimigos, visíveis e invisíveis:

"A Cruz Sagrada seja a minha luz. Não seja o dragão meu guia. Retira-te, Satanás, nunca me aconselhes coisas vãs. É mal o que tu me ofereces. Bebe tu mesmo o teu veneno."

É muito importante ressaltar que, além de rezar pela nossa proteção individual, também devemos dedicar orações aos próprios invejosos, pedindo a Deus que os libertem desse sentimento. A inveja é um pecado capital e, mais do que atingir os outros, traz prejuízos ao seu portador, tornando-o prisioneiro de suas amarguras e impedindo seu progresso.

Oração para si e para os outros nunca é demais.

JUVENTUDE
EDUCAÇÃO
SABEDORIA
JUSTIÇA
VALORES CRISTÃOS
PAIXÃO
SEDUÇÃO
AUTODOMÍNIO

Todos os momentos da tua juventude merecem ser lembrados na velhice?

"Jovem, aproveite a sua mocidade e seja feliz enquanto é moço. Faça tudo o que quiser e siga os desejos do seu coração. Mas lembre-se de uma coisa: Deus o julgará por tudo o que você fizer. Não deixe que nada o preocupe ou faça sofrer, pois a mocidade dura pouco" (Ecl 11, 9).

"Esquece os pecados e os erros da minha mocidade. Por causa do teu amor e da tua bondade, lembra-te de mim, ó Senhor Deus!" (Sl 25, 7).

Fase de transição entre a infância e a idade adulta, a juventude é um tempo de descobertas e também de decisões, como é o caso da escolha da profissão e dos primeiros amores, o que pode ser confuso. Afinal, embora já seja independente sob muitos aspectos, o jovem em geral ainda não acumula conhecimento e experiência para gerir a própria vida.

Como sabemos, o período correspondente à juventude passa muito rápido, mas as resoluções tomadas nessa fase repercutem para o resto da vida, incluindo a formação, a carreira, o casamento, entre outras. Por essa razão, a fé pode e deve ser encarada como uma aliada desde muito cedo.

Seguir Jesus não implica castrar a leveza e tampouco a "santa rebeldia" da juventude. Pelo contrário. Jesus sabia brincar e contestar como ninguém. Mas isso, em momento algum, pode ser confundido com baderna, inconsequência ou falta de responsabilidade.

Parafraseando o dito popular, é de pequenino que se torce o pepino — um conselho que faz alusão à necessária poda feita pelos agricultores para que essa planta cresça da melhor forma. Assim também façamos com os nossos jovens, a fim de garantir-lhes um desenvolvimento saudável, sem comprometer o futuro e a alegria de viver.

Sim, Deus dá sabedoria e entendimento aos jovens que O temem. O Espírito Santo os ilumina e guia para que sejam felizes e realizados, assim como Jesus foi. Os valores cristãos, se não simplesmente recebidos, mas elaborados e contextualizados na vida dos jovens, fazem deles pessoas honestas e justas, que procuram sempre fazer o bem.

JUVENTUDE ENGAJAMENTO

Não esperem que o aceitem sem o conhecer. Seus atos e exemplos falarão mais que suas palavras.

> *"Não deixe que ninguém o despreze por ser jovem. Mas, para os que creem, seja um exemplo na maneira de falar, na maneira de agir, no amor, na fé e na pureza" (1 Tm 4, 12).*
>
> *"O Senhor enche a minha vida com muitas coisas boas, e assim continuo jovem e forte como a águia" (Sl 103,5).*

O conselho do apóstolo Paulo foi dirigido ao jovem Timóteo, mas também vale para todos os jovens: conquiste seu espaço sem brigas, pelo bom exemplo, sendo modelo de conduta.

Quanto a nós, adultos, precisamos tomar cuidado porque, às vezes, até mesmo dentro da realidade eclesiástica, depreciamos a participação dos mais jovens. Se eles nos apresentam ideias novas, criticamos.

Não pensemos que a Bíblia dá voz apenas a pessoas maduras ou que a Igreja é composta unicamente de integrantes da terceira idade. No Antigo Testamento, Deus contou com a adesão de muitos adolescentes e jovens, como Davi, Samuel, Jeremias e mesmo Maria, que era muito nova quando concebeu do Espírito Santo.

É bom que os jovens participem da Igreja e nela se sintam bem, acolhidos e valorizados. Deus é aquele que direciona, que faz o bem, que ajuda a viver a juventude, e precisamos mostrar isso à juventude de hoje.

Deus, por meio do Espírito Santo, ajuda no discernimento necessário para a tomada de decisões e, portanto, no direcionamento da vida. Lembremos que não é senão a Palavra de Deus a primeira a aconselhar a não empenharmos os melhores dias da nossa vida com coisas ilusórias, fúteis e passageiras. A juventude é um tempo de semeadura para uma vida com propósitos e saudável, tanto do ponto de vista físico quanto espiritual.

A obra de Deus é uma força que devemos alavancar, e nesse trabalho precisamos muito do vigor dos jovens, que têm um papel especial a desempenhar na plantação da boa semente.

PAIXÃO
EMOÇÕES
IMPULSIVIDADE
MATURIDADE
AUTODOMÍNIO

Todo o vigor e ímpeto que você tem acabam por construir ou destruir?

> *"Fuja das paixões da mocidade e procure viver uma vida correta, com fé, amor e paz, junto com os que, com um coração puro, pedem a ajuda do Senhor" (2 Tm 2, 22).*

> *"Evite o mal e caminhe sempre em frente; não se desvie nem um só passo do caminho certo" (Pr 4, 27).*

Se nos recordarmos do apóstolo Pedro, veremos que ele, apesar da idade, ainda tinha muitos problemas com os arroubos da juventude. Narram os Evangelhos que repreendeu Nosso Senhor quando Ele disse que ia ser morto e mereceu ser chamado de "filho do Diabo". Andou sobre as águas, mas teve medo e começou a afundar. Em um gesto de violência, cortou a orelha de um homem, que Jesus restaurou. Noutro momento, disse que estava pronto para morrer por Jesus e depois negou conhecê-Lo. São sinais de desordem emocional, a qual, com muito penar e com a graça de Deus, Pedro venceu.

E quanto a nós, como lidamos com nossos desequilíbrios? A luxúria, os quinze minutos de fama, as emoções inferiores, os populares surtos... De que forma estamos trabalhando a impiedade e a impureza dentro de nós?

Precisamos saber lidar com os nossos impulsos mais vis e não dar vazão a eles; lutar quando somos atraídos por algo que pode causar sofrimento e destruição. Olhemos para Jesus, pois Ele era um homem jovem que tinha zelo no coração. Sofreu todo tipo de tentação, mas, com equilíbrio emocional e abertura à graça, conseguiu lograr uma entrega total à vontade divina.

É fundamental ter equilíbrio emocional para dar esse salto e adentrar o Reino. E não devemos esperar a maturidade para fazê-lo. Comecemos, pois, na juventude a buscar a justiça e a aprender a não nos deixarmos levar pelas paixões mundanas. "Com efeito, a graça de Deus se manifestou para a salvação de todos os homens. Ela nos ensina a abandonar a impiedade e as paixões mundanas, e a viver neste mundo com autodomínio, justiça e piedade, aguardando a nossa bendita esperança, a manifestação da glória do nosso grande Deus e Salvador, Cristo Jesus, o qual se entregou a si mesmo por nós, para remir-nos de toda iniquidade, e para purificar um povo que lhe pertence, zeloso no bom procedimento" (Tt 2, 11-14).

LIDERANÇA
TEMPERANÇA
SABEDORIA
FORTALECIMENTO ESPIRITUAL
CORREÇÃO
DISCERNIMENTO
ORAÇÃO
VALORES CRISTÃOS
SEDUÇÃO
TENTAÇÃO

Cumprir o que se fala muda o mundo. Você fala mais do que deveria?

> *"Que o 'sim' de vocês seja sim e o 'não', não, pois qualquer coisa a mais que disserem vem do Maligno" (Mt 5, 37).*

> *"É melhor não prometer nada do que fazer uma promessa e não cumprir" (Pr 5, 5).*

Devemos demonstrar confiança por meio de atitudes. Líderes envolvidos em intrigas e fofocas prejudicam suas equipes.

Há momentos para brincar e para agir com seriedade. Devemos controlar o que sai da nossa boca e nunca desprezar ninguém.

A virtude que se espera de um líder, e isso vale para todas as áreas e sob todos os aspectos, é a temperança.

É difícil agradar a todos, e nem Jesus conseguiu isso. Contudo, um verdadeiro líder é valorizado mesmo quando não agrada, e isso se deve às suas virtudes, e não às ordens que dá.

Lideranças não são mandatos; às vezes, acontece de a pessoa ter o "poder da caneta", mas não ser líder. Ter poder não significa ter a liderança, ou seja: o dono de uma empresa não é necessariamente um líder. Da mesma forma, nem sempre um padre é líder, ainda que seja um bom ministro do sagrado.

Como já disse, Jesus não agradou a todo mundo, mas suas virtudes fizeram d'Ele o maior de todos os líderes. Mais do que nunca, o nosso mundo está precisando de lideranças que se espelhem em Cristo, dotadas de virtudes espirituais sólidas para gerir empresas, instituições e cargos públicos. Rezemos por líderes bem formados e fortalecidos espiritualmente!

Oração

CURA DO CORPO E DA ALMA

Senhor, eu me coloco na tua presença.
Creio, Senhor Jesus, que estás comigo.
Ao Teu Nome, todo joelho se dobra
no céu, na terra e nos infernos,
e toda língua proclama que és o Senhor,
para a glória de Deus Pai.
Reclamo Teu poder e Tua misericórdia
sobre toda a minha vida,
os meus traumas,
as minhas emoções
e as minhas decepções.
Reclamo o Teu poder sobre a minha história.
Cura-me, liberta-me, Senhor.
Peço perdão pelas vezes em que me
revoltei com o silêncio do Pai.
Pelas vezes em que duvidei de Seu amor por mim.
Cura a minha alma e dá-me a Tua paz.
Que em Teu Nome toda força maligna seja repreendida.
Que Teu Espírito Santo habite sempre em mim.
Amém.

LIDERANÇA
EXEMPLO
SERVIÇO
EGO
RESPEITO

Aquele que faz é o verdadeiro líder.

> *"Como vocês sabem, os governadores dos povos pagãos têm autoridade sobre eles, e os poderosos mandam neles. Mas entre vocês não pode ser assim. Pelo contrário, quem quiser ser importante, que sirva os outros, e quem quiser ser o primeiro, que seja o escravo de vocês. Porque até o Filho do Homem não veio para ser servido, mas para servir e dar a sua vida para salvar muita gente"* (Mt 20, 25-28).

Nós, cristãos, temos um Mestre, que é Jesus Cristo. Seus ensinamentos e Sua visão, transmitidos aos discípulos, são o que realmente importa.

Os discípulos eram como "pedras brutas", as quais foram lapidadas por Jesus. Com muita paciência, Ele estabeleceu o caminho que deveriam trilhar. Os apóstolos tinham dificuldades para entender, mas o Mestre Jesus sabia e tinha claro o caminho a seguir.

Da mesma forma, em nosso cotidiano, se não deixarmos claro qual o caminho a ser seguido por nós e por aqueles que estão conosco, seremos como "baratas tontas" e não vamos inspirar confiança nas outras pessoas.

Não se trata de mandar nem dominar. Esse é um conceito equivocado de liderança, do tipo "eu mando e fulano obedece". Nosso Senhor nunca agiu assim, mas respeitou as demandas e as limitações de cada um, sem porém deixar de ver seu potencial.

Portanto, liderar é guiar e preparar as pessoas, a exemplo de Jesus Cristo, ajudando-as no seu processo de crescimento. Se o que fazemos é apenas por gosto pessoal, para aparecer ou para exercer o domínio e estar no topo da pirâmide, então não somos líderes cristãos, seja na comunidade, seja no ambiente profissional.

Podemos ser lideranças prisioneiras do próprio ego e até contar com alguns seguidores, muitas vezes por interesse ou receio, mas jamais conquistaremos o seu respeito, porque esse não vem por imposição, mas por deferência. Em outras palavras, líder não é aquele que cultiva medos, e sim quem colhe afinidades.

Agindo como Jesus, mais que liderados, conquistaremos aliados que caminharão conosco com parceria e colaboração.

LIDERANÇA ORAÇÃO INTERCESSÃO UNIDADE

Quando a dificuldade aparece, você se lembra de conversar com Deus, ou apenas murmura e reclama? Você acha que isso vai resolver?

> *"Orem sempre, guiados pelo Espírito de Deus. Fiquem alertas. Não desanimem e orem sempre por todo o povo de Deus" (Ef 6, 18).*
>
> *"A oração de uma pessoa obediente a Deus tem muito poder" (Tg 5, 16).*

Uma das funções primordiais que precisamos cultivar para fazermos crescer o Reino de Deus é a vida de oração. Costumo sempre dizer a todos aqueles que buscam e se dispõem a propagar a Palavra de Deus — sejam líderes comunitários, sacerdotes, ministros de Eucaristia... — uma coisa que deve ser repetida diariamente por todo o que crê: cristão que não reza não é cristão!

Ou melhor: é impossível ser fiel à própria vocação (sacerdotal ou conjugal) sem um encontro pessoal diário, constante, com Cristo no silêncio da oração. Impossível! Trata-se, afinal, do momento de abrir o coração a Ele, pois a Ele interessa tudo de nossa vida. E também os outros, que podem se beneficiar dos méritos de nossa prece: devemos rezar pelos enfermos, pelos necessitados, pelos que estão ao nosso lado — enfim, por todas as pessoas que estão ao nosso "alcance".

A oração, ademais, gera unidade e criatividade. Pessoas que rezam pouco são menos esperançosas e criativas. A criatividade é um dos dons do Espírito; ela vem de Deus. E Ele é perfeito em tudo: basta olhar o que Ele criou.

É uma visão limitada achar que rezar é permanecer passivo ou acomodado diante da vida. A oração potencializa o que vamos fazer. Por isso mesmo, o bom líder é aquele que se aconselha com Deus e reza.

LIDERANÇA
SERVIÇO
FIRMEZA

Fazer algo esperando ser reconhecido é o caminho mais curto para a frustração.

> "O que vocês fizerem, façam de todo o coração, como se estivessem servindo o Senhor e não as pessoas" (Cl 3, 23).

> "Porque nós somos companheiros de trabalho no serviço de Deus, e vocês são o terreno no qual Deus faz o seu trabalho" (1 Cor 3, 9a).

Na Igreja e em outros círculos, liderar significa ter autoridade para comandar por meio de ideais, ações, palavras e testemunho de vida. Numa palavra, trata-se de ser líder à maneira de Jesus Cristo.

Aqui está o segredo: fazer tudo de coração, não para nós mesmos nem para os outros, e sim para o Senhor. Isso vale para todos nós, porque todos exercemos algum tipo de liderança, direta ou indiretamente.

Alguns começam uma caminhada e, com o passar do tempo, vão perdendo a capacidade de liderar — não por fatalidade ou outro motivo de força maior, mas pela perda de motivação e também de segurança em relação àquilo que estavam fazendo. Para que haja adesão é preciso mostrar firmeza de propósito.

Há muitas pessoas sem rumo, perdidas; e, como integrantes da Igreja, precisamos de lideranças que orientem, que sejam luz. "Ninguém, depois de acender uma candeia, a põe em lugar oculto, nem debaixo do alqueire, mas no velador, para que os que entram vejam a luz" (Lc 11, 33).

Temos de ser cristãos autênticos, capazes de exercer a nobre tarefa do convencimento. Jesus foi e ainda é o maior líder de todos os tempos. Soube liderar como ninguém, porque tinha consciência da sua pessoa, da sua responsabilidade e do seu ministério. Não cedia naquilo que não podia ceder, mas também se fazia próximo de todos. Seu olhar e seu jeito atraíam as crianças, lembram? Sua liderança é modelo, com aptidão clara e ministério eficiente, e também por isso Ele nos deixou um legado permanente.

LIDERANÇA
BOAS PALAVRAS
CORREÇÃO
PACIÊNCIA

As palavras que saem da tua boca chegam aos outros como bomba ou como mensagem de paz?

> *"Que as suas conversas sejam sempre agradáveis e de bom gosto, e que vocês saibam também como responder a cada pessoa!" (Cl 4, 6).*
>
> *"As palavras do falador ferem como pontas de espada, mas as palavras do sábio podem curar" (Pr 12, 18).*

Um líder que se preze deve se preparar, meditar, estudar, ter formação, usar palavras sábias. Ninguém nasce pronto. Observe que não estou me referindo a um simples cargo de liderança, mas à missão de sermos, para empregar um termo do momento, "influenciadores de Deus".

Se nos detivermos no exemplo de Samuel, veremos como ele precisou de muitos anos para se desenvolver. O apóstolo Paulo, por sua vez, é um modelo de liderança, mas, mesmo após se converter, passou três anos aprendendo.

Não podemos achar que basta colocar boas palavras na boca e... "glória a Deus"!

Quando Jesus escolheu os apóstolos para segui-Lo, a maioria era composta de pescadores, e por três anos Ele os formou. Dedicava-se a cada um em particular, ensinando, corrigindo e motivando.

Às vezes, na posição de líderes, agimos de forma intransigente e não damos tempo para que o outro absorva os ensinamentos. Se não vamos com a cara de fulano, imediatamente o limamos do grupo, recorrendo à famosa desculpa de que "nossos santos não bateram". Que lástima ouvir um bom católico proferir esse tipo de julgamento!

Jesus, em toda a sua sabedoria, também teve muitos problemas com alguns dos seus, mas não desistiu. Administrou o temperamento de Pedro e, até o final, tentou resgatar Judas, dando-lhe todas as chances de recuar naquilo que estivera disposto a fazer. Eis o legado do maior de todos os líderes.

MEDO
CORAGEM
CONFIANÇA
VAIDADE
MUNDANIDADE
MATERIALISMO

O medo paralisa e enfraquece, em nada ajuda. Dê um passo e se segure em Deus. Outros passos virão.

> *"Não fiquem com medo, pois estou com vocês; não se apavorem, pois eu sou o seu Deus. Eu lhes dou forças e os ajudo; eu os protejo com a minha forte mão"* (Is 41, 10).
>
> *"Quando estou com medo, em você confio, ó Deus todo-poderoso"* (Sl 56, 3).

Hoje, muitas pessoas vivem à mercê do medo, e não se trata daquela paúra divertida que sentimos quando somos crianças e assistimos a um filme de terror. Refiro-me a um sentimento de impotência extremamente perigoso, que nos paralisa e nos impede de avançar e evoluir.

Como resolver esse grave problema?

Acredite: independentemente das circunstâncias, o medo pode ser fruto de uma fé enfraquecida e vacilante.

Por exemplo, quando estamos voltados para o acúmulo de bens materiais ou demasiadamente presos às vaidades do mundo, aos elogios, aos prestígios, somos acossados pelo desejo de ter cada vez mais e, em contrapartida, pelo medo de perder. Com o tempo, isso vai minando nossa confiança em nós mesmos, o que se torna mais grave quando também deixamos de confiar na Providência.

Não esqueçamos que o maior de todos os tesouros, a fé em Deus, está em nosso coração. Se permitimos que os pseudotesouros ou as reles bijuterias oferecidas pelo mundo ocupem e usurpem o lugar desse tesouro real, nós nos afastamos de Deus e passamos a ser guiados pelo medo.

Temer é humano, mas, quando esse medo nos impede de caminhar, não estamos sendo levados pelas mãos de Deus. Da mesma forma, chorar faz parte da nossa condição; Jesus também chorou por Lázaro. Contudo, não ficou jamais paralisado: foi ao sepulcro e o trouxe de volta à vida.

Entenda que o medo pode nos acompanhar, mas não nos guiar, fazendo-nos de reféns. Antes, deve ser fonte de maior abandono e confiança na Providência. O medo, com efeito, só pode ser completamente vencido pela fé em Deus, que nos acompanha, zela por nós e nos ajuda a vencer.

MELANCOLIA
TRISTEZA
DESÂNIMO
FORTALECIMENTO ESPIRITUAL

Há pessoas que precisam de um problema para tocar o dia. Saia dessa armadilha.

> *"Anime-se, console o coração e afaste a melancolia para longe. Pois a melancolia já arruinou muita gente e não serve para nada"* (Eclo 30, 23).
>
> *"A alegria faz bem à saúde; estar sempre triste é morrer aos poucos"* (Pr 17, 22).

Eis uma verdade incontestável: o tempo passa muito rápido. Como disse o salmista, "o ser humano é apenas um sopro" (Sl 39, 5). Podemos chegar em uma certa idade e olhar para trás percebendo como foi inútil cultivar a melancolia.

Lógico que não me refiro à tristeza patológica, psíquica, mais conhecida como depressão, que é legítima e necessita de ajuda profissional e espiritual. Refiro-me, antes, a quem passa a vida remoendo amarguras e somatizando problemas, a ponto de se acostumarem com a infelicidade. Por mais contraditório que pareça, chegam a sentir certo prazer mórbido nesse estado melancólico.

Sem exageros: conheço pessoas que têm a melancolia como hábito! Se não estão com algum problema, fazem questão de procurar um — primeiro imaginado; depois, tornando-o real. Acreditam que estão no controle da situação, mas esquecem que "água mole em pedra dura…". De tanto cultivarem a melancolia, podem tornar-se reféns dela e perder a capacidade de sonhar.

Já viu aquelas pessoas que mal passam dos sessenta anos e costumam afirmar, em tom melancólico, que já estão "fazendo hora extra"? Outras soltam um suspiro e vaticinam: "Falta pouco!"

Não podemos enxergar a vida com esse horizonte tão limitado, até porque temos um Reino à nossa espera, não é verdade? Deus não nos quer melancólicos. E a melancolia nada mais é do que um estado de prostração, entrega, tristeza e abatimento. Um filho de Deus pode se sentir assim? É necessário ter consciência de que somos amados por Ele e sentir esse amor!

Nesse processo emancipatório, contamos com a fé e a graça de Deus. Não foi assim que Deus fez com a morte? A morte era uma porta fechada, um fim. Mas Deus sempre faz rolar as pedras do caminho e abre as portas da nossa existência.

MENTIRA CORRUPÇÃO HONESTIDADE

Aquele que mente se torna escravo de uma falsa realidade e pode virar um inútil. E solitário.

> *"Abandonai a mentira e falai a verdade cada um ao seu próximo, porque somos membros uns dos outros" (Ef 4, 25).*
>
> *"O Senhor Deus detesta os mentirosos, porém ama os que dizem a verdade" (Pr 12, 22).*

Um provérbio popular afirma que "a mentira tem pernas curtas", mas costumo dizer que nem pernas ela tem. Por isso, aquele que mente leva uma existência capenga, como um pangaré, um cavalo velho que já não serve mais para nada.

A mentira que contamos hoje torna-se o fertilizante para a desconfiança de amanhã, especialmente entre os casais. O estrago é tão feio que muitas pessoas tomam medidas constrangedoras, como vasculhar celulares à procura de indícios de faltas de sinceridade e transparência.

Como cristãos, devemos sempre nos esforçar por dizer a verdade, mesmo que, a princípio, alguém se sinta magoado. À medida que o incômodo sentido for mais bem digerido, a pessoa irá superá-lo. Por outro lado, quando a mentira gera a inevitável perda ou quebra de confiança, esta só pode ser recuperada a muito custo...

Quem mente cria uma espécie de mundo paralelo em que o Diabo dá as cartas. Veja o que ocorre em nosso país com essa enxurrada de *fake news* que acomete todos os espectros ideológicos. Por isso dizemos que o Inimigo é o pai da mentira: a mentira causa desordem, cizânia, divisões... Tudo o que o Diabo gosta.

A mentira nunca edifica, não importa qual seja sua intenção ao lançar mão de uma informação falsa. E não me venham com essa história de "uma mentirinha" para poupar o outro! Até mesmo a chamada "meia-verdade" não passa de uma mentira disfarçada.

A mentira é prima-irmã do vício, porque sempre leva a um trago a mais; também é comadre da corrupção. Como algo que começou com uma mentira pode ter um final feliz, se a semente plantada foi o egoísmo, o pensar apenas em si mesmo, sem avaliar o sofrimento causado nos outros?

Cada um de nós tem um "eu verdadeiro" que é sagrado e não pode ser deturpado sob pretexto algum. Ao dizermos a verdade, nós nos aproximamos da nossa essência e, consequentemente, de Jesus, que é "o Caminho, a Verdade e a Vida" (Jo 14, 6). Ele é a Verdade! Por isso condenar a mentira é um preceito muito forte dentro da moral cristã.

Mentir e enganar é colocar em risco não apenas a própria reputação, como também, e sobretudo, a dádiva da eternidade.

Oração

LIBERTAÇÃO DOS VÍCIOS

Amado Senhor, coloco-me diante de Ti
para pedir o perdão de minhas faltas,
Muitas vezes, Senhor, optei por
fazer a vontade da carne,
e não o que Te agrada.
Senhor, não quero mais viver no erro,
mas buscar em Ti a força e a libertação.
Afasta-me de todas as práticas que são empecilho
para o meu crescimento espiritual e físico.
Liberta todos os que se encontram
escravizados pelos vícios
e livra a mim e meus familiares dos vícios da mentira,
da bebida, das drogas, da jogatina, da pornografia
e de todas as demais dependências.
Desvia-nos das ocasiões de queda
e das más companhias.
Ajuda-nos, Senhor, a nos revestir do domínio próprio,
a evitar o que leva à morte espiritual e emocional,
a rechaçar tudo o que desune nossas famílias.
Dá-nos a vitória,
pelos méritos das Santas Chagas do Teu Filho Jesus.
Amém.

PACIÊNCIA TEMPERANÇA FORTALECIMENTO ESPIRITUAL

Você tem para com os outros a mesma paciência que Deus tem para com você?

> "Descanse no Senhor e aguarde por Ele com paciência; não se aborreça com o sucesso dos outros nem com aqueles que maquinam o mal" (Sl 37, 7-9).

> "O homem irritável provoca dissensão, mas quem é paciente acalma a discussão" (Pr 15, 18).

Para lidar com as tribulações é preciso desenvolver uma virtude especial, um importantíssimo fruto do Espírito Santo: a paciência.

Ao contrário do que muitos pensam, ter o temperamento equilibrado e saber esperar a hora de Deus não é apenas mera retórica religiosa. É sabedoria de vida.

A paciência é antídoto contra a ira, o descontrole, a ansiedade e o desequilíbrio emocional.

Trata-se de uma conquista diária alcançada por meio da consciência, do esforço e da graça divina. Convivemos o tempo todo com opiniões e pontos de vista muito díspares, e nesses casos sentimentos extremos podem aflorar. Então, mais do que nunca, é hora de pedir ao Espírito Santo o fruto da paciência e exercitá-lo incansavelmente.

Na vida espiritual, quem cultiva a paciência não se revolta contra Deus. Prima-irmã da perseverança, a paciência nos faz aprender a esperar em Deus e a confiar sem perder a esperança.

A paciência nos ajuda a não nos desesperarmos, lembrando que o desespero não é atitude do cristão. Nosso Senhor Jesus, quando foi massacrado, esmagado, ficou aflito, sim. Desesperado, jamais.

O grande dom da paciência nos leva a ter confiança na Providência divina e acreditar que Deus proverá e nunca faltará. Em mais de duas décadas e meia como sacerdote, quanta paciência Deus teve para comigo! E certamente vocês podem dizer o mesmo. E certamente Deus segue paciente, fazendo chover tanto para os justos quanto para os injustos. Ele não quer condenar ninguém e espera até o último minuto pela nossa conversão.

O silêncio de Deus não é e nem jamais será a ausência d'Ele. O silêncio é o tempo em que Deus está caprichando na graça e nos preparando para recebê-la.

PAZ DE ESPÍRITO
UNIÃO COM CRISTO
TEMPERANÇA
AUTODOMÍNIO

Essa confiança que traz a paz só tem quem deseja aos outros a mesma paz. O que você quer para os outros?

> *"Não se preocupem com nada, mas em todas as orações peçam a Deus aquilo de que precisam e orem sempre com o coração agradecido. E a paz de Deus, que ninguém consegue entender, guardará o coração e a mente de vocês, pois vocês estão unidos a Cristo Jesus" (Fl 4, 6-7).*
>
> *"Por isso, procuremos sempre as coisas que trazem a paz e que nos ajudam a fortalecer uns aos outros na fé" (Rm 14, 19).*

Meus irmãos, infelizmente é tão fácil perder a paz interior! Problemas no trabalho e na família, doenças, medo de não dar conta da luta diária... Tudo isso nos leva a perder a serenidade no coração e a desassossegar.

Os sentimentos negativos são empecilhos para o crescimento espiritual, e devemos aprender a controlá-

-los para alcançarmos a tão almejada paz de espírito e eliminarmos o rancor do coração.

No idioma hebraico, a palavra *shalom* significa "paz", mas uma paz completa, que abarca o ser por inteiro. Trata-se de uma forma de cumprimento usada pelo povo judeu.

Jesus usava a saudação *shalom aleichem*, que significa: "A paz esteja convosco." Essa paz é uma dádiva do Senhor!

As pessoas estão cada vez mais à flor da pele. Todo mundo se acha no direito de dizer o que pensa, não importando a quem se ofende. Ninguém mais faz questão de poupar ninguém. É cada um por si, e o outro que se vire. Pensam assim aqueles que perderam a paz e a serenidade no coração. Alimentam-se da própria agressividade e seguem envenenando a si e aos que estão à sua volta. Isso não é de Deus.

O Senhor Jesus nos deseja a sua paz justamente para que estejamos bem com nós mesmos e possamos propagar o bem.

Todos sempre vamos ter problemas. Devemos procurar ajuda especializada para conseguir resolvê-los quando necessário; porém, se o nosso interior não estiver em paz, não vai adiantar tomar chá de melissa, calmantes…

Se os casamentos não vão bem, pode ter certeza de que os corações envolvidos não estão serenos. O mesmo em todos os outros âmbitos: no trabalho, na vida em família… Tudo é motivo de briga, de "tirar a limpo", "pagar com a mesma moeda"? Para dar fim a essa espiral de conflitos e desassossego, só a sabedoria de Cristo.

A paz é um dom do Senhor e um fruto do Espírito Santo. Ainda que tudo ao nosso redor desabe, se exercitarmos e construirmos a paz interior, nos manteremos serenos, fortes e confiantes.

PERDÃO
COMPREENSÃO
EMPATIA
HUMILDADE
FORTALECIMENTO ESPIRITUAL
RAIVA
MÁGOA

Não há hora errada para a limpeza interior que é o perdão. A hora é agora. Já!

> "Não fiquem irritados uns com os outros e perdoem uns aos outros, caso alguém tenha alguma queixa contra outra pessoa. Assim como o Senhor perdoou vocês, perdoem uns aos outros" (Cl 3, 13).

> "Porque, se vocês perdoarem as pessoas que ofenderem vocês, o Pai de vocês, que está no céu, também os perdoará" (Mt 6, 14).

O perdão é a base da fé e um mandamento do Senhor. Quem não consegue perdoar tem dentro de si um ego inflamado e precisa passar urgentemente por um processo de cura.

Quando perdoamos, desfazemos os nós de uma culpa acumulada e nos livramos do peso que nos impede de termos um bom relacionamento. Por isso, superar e perdoar é próprio de pessoas maduras, capazes de reconhecer que todos cometem erros. Quem não sabe perdoar não consegue lidar sequer com seus próprios defeitos.

Geralmente o perdão não é fácil. É muito difícil dar o primeiro passo quando nos sentimos injustiçados e estamos ressentidos. Todavia, tenhamos em mente que o perdão não é destinado ao ato praticado, mas à pessoa que demonstrou fraqueza em cometê-lo. Quem mais sofre com o erro não é a "vítima", mas o "perpetrador"!

O perdão é libertador, um verdadeiro bálsamo; e é natural que às vezes exija certo tempo. Ele dói, mexe na ferida e a faz sangrar. Esse sofrimento vale a pena, porém, porque ao final ocorre a cura.

Somente com a ajuda de Deus, por meio de Jesus Cristo, podemos perdoar sem mágoas remanescentes. Ele dá o mandamento e as forças para cumpri-lo.

PERDÃO
ARREPENDIMENTO
CULPA
ORAÇÃO
CURA DOS AFETOS

Muitos relacionamentos se perderam porque ninguém deu o braço a torcer. Vai, diga que errou e recupere sua paz.

> *"Confessem os seus pecados uns aos outros e façam oração uns pelos outros, para que sejam curados. A oração de uma pessoa obediente a Deus tem muito poder" (Tg 5, 16).*
>
> *"Quem pode ver os seus próprios erros? Purifica-me, Senhor, das faltas que cometo sem perceber" (Sl 19, 12).*

Ninguém está isento de cometer erros.

Seja como filho, pai, mãe, marido, esposa, todo ser humano comete equívocos, mas o maior deles talvez esteja em não reconhecer esse grau de falibilidade que nos é inerente. Quem disse que temos de ser impolutos? Se a falha é humana, o perfeccionismo só pode ser uma invenção do

Diabo para nos fazer cair em desgraça e desesperança. Nutrir uma imagem que não bate com a realidade também está dentro do espectro da mentira.

Ao cometer um erro, o mais importante é admitir que "pisou na bola" e pedir desculpas. Mas atenção, porque não vale dar uma de espertinho, dizendo que agiu de determinada maneira em reação ao que o outro fez. Isso é uma forma subliminar de inverter o jogo e colocar o outro na berlinda. Simplesmente reconheça: "Eu errei, eu falhei, me perdoe." Não há "mas".

E como é importante, também, saber receber o perdão do outro! Não é verdade que muitos gostam de ver o outro humilhado ao reconhecer o próprio erro?

A humildade diante de Deus e do outro cura e liberta das mágoas mais profundas, abrindo caminho para o perdão.

ORAÇÃO
GRATIDÃO
FORTALECIMENTO ESPIRITUAL
PERSEVERANÇA

Quando você fala com Deus e se deixa invadir pela paz, o Espírito Santo rezou através de você. Vai deixar passar esse grande poder?

> *"Orem sempre e sejam agradecidos a Deus em todas as ocasiões. Isso é o que Deus quer de vocês por estarem unidos com Cristo Jesus" (1 Ts 5, 17-18).*
>
> *"Quando me invocarem, rezarão a mim, e eu os ouvirei" (Jr 29,12).*

A oração é o combustível que fornece energia espiritual para enfrentar as tentações e superar as dificuldades da caminhada. Não por acaso, Jesus disse: "Rezem para não cair em tentação" (Lc 22, 40).

Ajoelhados em oração, subimos a escada até o Céu. O cristão que não reza é como o motorista que tem um "carro de garagem", ou seja, que gastou todo o seu dinheiro para ostentar perante os vizinhos e mal tem recursos para abastecer o tanque. Não adianta nada. Repito sempre: o combustível da vida cristã é a oração.

Muitos imaginam que a oração é algo a que recorremos única e exclusivamente para pedir, o que é um grave equívoco. Rezar é empreender um diálogo de amor, por meio do qual experimentamos um pedaço do Céu, a presença do Deus vivo. Como ter a chance de mergulhar, ainda que por alguns instantes apenas, no coração de Deus, senão pela oração?

É por meio da oração que compreendemos o Seu grande plano para nossa existência e adquirimos a perseverança. Esta, por sua vez, leva-nos a rezar sempre mais. Perceba que a oração a que me refiro não é aquela que você faz em um dia específico, por um motivo especial. Nada disso. Trata-se de viver em estado de oração contínua, ou seja, rezar sempre e participar dos sacramentos e da Palavra divina.

Somente com base nessa dinâmica é possível alcançar não apenas a constância de agora, como também a Perseverança Final, a qual os santos sempre consideraram a "graça das graças". Normalmente não incluímos isso em nossas orações, mas é precisamente essa perseverança derradeira, esse estar em graça no momento da morte, que coroa toda a nossa vida. Em outras palavras, não basta começar bem: também é preciso terminar bem.

PERSEVERANÇA
CORAGEM
ESPERANÇA
FIRMEZA
FORTALECIMENTO ESPIRITUAL
ORAÇÃO
CAIR E LEVANTAR
NATUREZA VELHA
NATUREZA NOVA
DESÂNIMO

A vida conectada te leva a um imediatismo impossível. Já pensou que as expectativas de Deus têm um tempo próprio?

"Portanto, não percam agora a coragem, para a qual está reservada uma grande recompensa. Vocês necessitam apenas de perseverança, a fim de cumprirem a vontade de Deus, e assim alcançarem o que Ele prometeu" (Hb 10, 35-36).

> *"Confie no Senhor. Tenha fé e coragem. Confie em Deus, o Senhor"* (Sl 27,14).

Muitas pessoas costumam dizer que não conseguem atingir seus objetivos ou alcançar uma graça. Outros começam suas tarefas "naquele gás", mas não seguem adiante. De fato, às vezes agimos motivados pela euforia, mas esta não é consistente; não passa do popular "fogo de palha".

Certamente, um espírito animado e otimista ajuda no "arranque" de qualquer empreitada. No entanto, o desenvolvimento exige algo mais denso. É preciso algo mais do que a simples euforia. Por exemplo, quando participamos de um retiro, podemos tomar consciência de nossos desenganos. Aí bate aquele arrependimento, prometemos a Deus e a nós mesmos não mais reincidir nos mesmos erros, e tudo parece novo. Não se trata de mero fingimento; realmente somos tomados por uma sensação de alívio imenso, e parece que todos os problemas acabaram.

Mas, no final das contas, com o passar do tempo, percebemos que voltamos a patinar na mesma pista de gelo trincado. Os problemas, os resquícios e as consequências de nossos atos continuam gerando estragos, e aquilo que pensávamos ter superado retorna com força total.

Padre, por que eu me sinto sempre andando em círculos ou de lado, feito caranguejo, e nada na minha vida avança?

Como refere o apóstolo Paulo, aposentar de verdade o "velho homem" e permitir o nascimento do "novo homem" não é resultado, é processo. Talvez por influência da chamada pós-modernidade, embalada como está na brevidade e liquidez das respostas digitais, vivemos excessivamente impacientes, esperando por respostas instantâneas. Todavia, a Vida, com "V" maiúsculo, aquela que também segue o Tempo do Senhor, não se faz nem se refaz assim. Há de se dar tempo ao Grande Tempo.

PERSEVERANÇA PACIÊNCIA NATUREZA NOVA

Quantas vezes você tentou mudar algo em você e falhou? Será na junção de pequenas mudanças que a grande acontecerá.

> "Deixemos de lado tudo o que nos atrapalha e o pecado que se agarra em nós. Avancemos com perseverança na corrida, mantendo os olhos fixos em Jesus, autor e consumador da fé" (Hb 12, 1-2).
>
> "A paciência convence até as autoridades; a perseverança pode vencer qualquer dificuldade" (Pr 25, 15).

De nada adianta querermos que o "velho homem" fique para trás se ele continua grudado em nós — e pior: sendo diariamente motivado e nutrido.

O aprimoramento do espírito é algo tão ou mais trabalhoso do que cuidar do físico. Para fazer uma analogia com os dias atuais, nos quais deixar o sedentarismo e aprender a comer estão tornando-se prioridades de saúde pública: do mesmo modo como nem a minha vida nem a sua irá mudar um milímetro se não nos propusermos a mexer nossos corpos todos os dias e prestarmos bastante atenção naquilo que colocamos em cima do prato, também devemos cuidar da "alimentação" do nosso espírito a todo momento.

O que isso significa? Significa cultivá-lo nas mínimas atitudes, acrescentando bondade, domínio próprio, devoção e, principalmente, em razão dos altos e baixos inevitáveis, perseverança em cada afazer do nosso dia a dia. Há pessoas que, no primeiro gol contra, começam a recuar ou desanimar, pois querem resultados imediatos. Uma frustração prolongada leva ao desânimo, que pode culminar na descrença, na falta de fé. E fé é a única coisa de que Jesus precisa para fazer grandes coisas com nossa vida.

Quando alguém chega até mim com esse espírito frustrado e descrente, eu faço questão de perguntar: "Você já viu como é lindo o germinar das sementes?"

Normalmente, paramos boquiabertos diante das árvores quando estão carregadas de frutos, mas já parou para ver como é linda a primeira muda brotando em um canteiro, solitária, às vezes tortinha, sem cor ainda, mas *firme*!

Sim, o caminho do cristão não é apenas o da colheita, mas também, e sobretudo, o do plantio. Deve-se avançar firme, por mais curta que seja a passada, em direção ao desejo acalentado, sempre em consonância com o Sumo Bem.

PERSEVERANÇA
FORÇA

Você comemora as pequenas conquistas? Reconheça os próprios méritos com humildade, dando glória a Deus por isso. Tudo de bom vem d'Ele.

> *"Irmãos bem-amados, sejam firmes, inabaláveis, façam incessantes progressos na obra do Senhor, cientes de que a sua fadiga não é vã no Senhor" (1 Cor 15, 58).*
>
> *"Porque todo filho de Deus pode vencer o mundo" (1 Jo 5, 4).*

Além de nos conferir mais força e resiliência, a perseverança nos faz ser audaciosos. Muitas pessoas utilizam a palavra audácia com conotação negativa, mas o audaz é aquele que demonstra coragem.

Hoje, em razão da já citada preocupação com a melhora da qualidade de vida, muitas pessoas se matriculam em academias de ginástica buscando saúde e resultados estéticos. E quem exercita a musculatura sabe que, no dia seguinte a um treino mais intenso, invariavelmente sentimos muitas dores; e, à medida que vamos nos movimentando e avançando, nosso corpo se adapta, o tônus muscular aparece e até arriscamos um *upgrade* na carga, sempre com a supervisão de um bom instrutor.

Na vida espiritual, a perseverança é esse tônus que ganhamos e que fortalece a nossa vontade e a nossa fé. Se tem algo que derruba um filho de Deus é sua própria vontade ou a falta dela. Não que não saibamos distinguir o certo do errado — afinal, temos condições de saber e de buscar compreendê-lo, por meio das Escrituras e da tradição da Igreja —, mas não temos vontade e nos deixamos vencer pela preguiça espiritual, que tecnicamente tem o nome de "tibieza". É como no caso do corpo e da mente: nós sabemos o que devemos fazer, o que é melhor para nossa saúde, mas ficamos estagnados, sedentários, adiando uma mudança de hábito. E é por isso que, no plano espiritual, também precisamos do apoio do *personal*: o Espírito Santo. A vontade não nos move, porque ela é fraca; só que, se permitimos, o Espírito a irá fortalecendo.

A perseverança constrói nossa vontade e a ajuda a participar com mais naturalidade dos momentos de adoração, da Missa, da leitura da Palavra de Deus, bem como dos períodos destinados à oração. A perseverança "turbina" a nossa vontade, impedindo o desânimo e o enfraquecimento do espírito. A cada pequena vitória na vida interior, tornamo-nos mais preparados para vitórias maiores. E, assim, experimentamos o que diz o apóstolo Paulo na Segunda Carta aos Coríntios: "Por isso, nunca ficamos desanimados. Mesmo que o nosso corpo vá se gastando, o nosso espírito vai se renovando dia a dia" (2 Cor 4, 16).

Oração
CURA DAS FERIDAS EMOCIONAIS

Volto-me a Ti, Senhor das Santas Chagas,
pois Tu és meu refúgio e minha esperança.
Conheces os meus sofrimentos.
Em Tuas Santas Chagas coloco as chagas
de meu corpo e de minha alma.
Cura as feridas das minhas lembranças,
para que nenhuma delas me faça
recordar da dor e angústia.
Cura meu espírito,
dá-me forças para evitar o pecado,
ajuda-me a perdoar.
Cura as minhas emoções,
fechando as feridas das mágoas,
das frustrações, dos rancores ou dos ódios...
Cura meu corpo, devolvendo-me a saúde física.
Não peço, Senhor, só por mim,
mas por todas as pessoas que
sofrem no corpo e na alma.
Tem misericórdia, Senhor:
vem em socorro também destas
pessoas que padecem!

PE. REGINALDO MANZOTTI

Acredito no Teu poder de cura, Senhor,
e já agradeço pelas graças que estás realizando,
pelos méritos de Tuas Santas Chagas,
em meu corpo e em minha alma.
Amém.

PERSEVERANÇA
FÉ
CAMINHADA

Nada no mundo é mais grandioso do que a Santa Missa. Por que será que você ainda dá mais valor a outras coisas?

"Permaneçam alicerçados e firmes na fé, sem se deixarem afastar da esperança no Evangelho que vocês ouviram e que foi anunciado a toda criatura que vive debaixo do céu" (Cl 1, 23).

"Porque vivemos pela fé e não pelo que vemos" (2 Cor 5, 7).

Pela fé vencemos as provações e tribulações. Quando passamos por esses momentos com perseverança, saímos deles mais fortes e amadurecidos.

Nós não estamos sempre aptos a agir como Davi e derrubar um Golias por dia. A vida é feita de altos e baixos, e por alguma razão costumamos exagerar os momentos de maior dificuldade, passando por alto aquelas pequenas alegrias.

Desta maneira, acabamos por criar um gigante Golias para nós mesmos — e é aí que se dá o mais terrível dos combates. Quando carregamos os monstros aqui dentro, eles fatalmente se voltam contra nós. E isso é tudo o que o inimigo deseja: nem mesmo precisa se esforçar para que percamos a fé, para que vacilemos, para que fiquemos presos nos "problemas" da Terra e esqueçamos a realidade do céu.

Mas não há motivos para desânimo. Como mencionei no meu livro *Batalha espiritual*, temos sempre a armadura de Deus para trajar. Haja o que houver, não devemos ficar remoendo os erros — e, assim, criando nossos gigantes imaginários —, mas caminhar para a frente, um passo a mais a cada dia, mesmo que seja arrastado, sem nunca parar ou ir na direção contrária. Sempre para frente, para Deus. Como dizia São Junípero Serra: "Sempre avante." Outro conselho muito valido é de Santa Madre Paulina: "Nunca, jamais desanimeis, embora venham ventos contrários."

Se não perseveramos nessa caminhada, somos como uma bolha de sabão: oca, passível de estourar e desvanecer no ar a qualquer momento. O cristão de verdade se levanta a cada queda, e assim age porque tem esperança e confia no amor de Deus. Cair é humano, levantar-se é cristão.

PERSISTÊNCIA
FIRMEZA
FRAQUEZA
FORTALECIMENTO ESPIRITUAL

Todos caímos. Pare de murmurejar, levante-se e siga em frente.

> "Fiquem firmes, pois assim vocês serão salvos" (Lc 21, 19).
>
> "Por isto, eu me comprazo nas fraquezas, nos opróbrios, nas necessidades, nas perseguições, nas angústias por causa de Cristo. Pois quando sou fraco, então é que sou forte" (2 Cor 12, 10).

Diante dos percalços que a vida nos apresenta, não conseguimos permanecer firmes o tempo todo. Há momentos em que a noite escura da fé se impõe: até Jesus Nosso Senhor passou por isso. A *Via Sacra*, que deixo como sugestão de oração e meditação, traz um Jesus humano que também caiu carregando a Sua Cruz.

Isso vale para todos os que estão lendo estes ensinamentos, e por isso quero que passemos por mais este conselho de sabedoria com pelo menos duas certezas:

1. Não estamos sós em nossos momentos de fraqueza: muitos já passaram e ainda vão passar pelo que estamos passando.

2. A dúvida e a incerteza deixam se ser apenas momentos de fraqueza quando as encaramos como uma parada estratégica para retomarmos a caminhada ainda mais firmes.

"Como, Padre? A fraqueza pode nos fortalecer?"

Sim, mas atenção: *estar* mais fraco não pode virar uma desculpa para *ser* fraco. Para isso, contemos com o Espírito Santo e permitamos que Ele aja em nós. É o Espírito quem nos impulsiona e nos leva à perseverança. A busca pela santificação implica persistência. Se uma pessoa tem um dom, ela o fará aflorar e progredir ao insistir em exercitá-lo. Se, na primeira dificuldade, desiste, não desenvolverá o dom que já tem.

Se olharmos para a humanidade, quem são as pessoas merecedoras de sucesso? Os espertos? Não, os persistentes. Aqueles que tiveram uma ideia, um sonho, e perseveraram apesar de tudo e de todos, muitas vezes até virando alvo de chacotas por conta disso. Quantas vezes não ouviram dos julgadores e derrotistas de plantão que seus objetivos não iam dar certo nem aqui, nem na China? Ora, e não é que deram certo?

Então, o que será do nosso desenvolvimento espiritual se não persistirmos? O que está em risco é nada menos que a nossa salvação!

O Céu, onde viveremos a eternidade com Deus, é lugar para os persistentes. Ali, os desertores da causa espiritual não têm vez.

ESPERANÇA
FÉ
LUZ

Você consegue olhar ao seu redor e discernir o que lhe traz luz? E se isso contrariar os seus planos?

"Sejam alegres na esperança, pacientes na tribulação e perseverantes na oração" (Rm 12, 12).

"Somente em Deus eu encontro paz, e n'Ele ponho a minha esperança" (Sl 62, 5).

Não há o que temer, nem mesmo quando se tem a sensação de que tudo está errado. Quando estamos à deriva em um mar de incertezas, sem sabermos como agir e nem para onde ir, a Bíblia é nossa bússola e nos dá todas as respostas.

A esperança é uma âncora que não está na Terra: ela é lançada ao Céu. Portanto, somente podemos acessá-la por meio da fé. Mas, para nos mantermos firmes e seguros, também precisamos ter força. No plano físico, ser forte pressupõe estar bem alimentado e exercitado. Uma pessoa desnutrida tem pouca energia e não consegue nada. Na vida espiritual, para sermos fortes em meio às tribulações, precisamos estar nutridos de Deus, de sua

Palavra, da Eucaristia e da oração. Se não estamos nutridos de Deus, acabamos nutridos de porcarias.

Como está, pois, a nossa "nutrição" espiritual?

Como já pude comparar, uma pessoa desidratada e com sinais de sarcopenia precisa de cuidados e até de internação para repor os nutrientes em falta. E, quando estamos "desnutridos e anêmicos de Deus", temos de identificar onde estão as lacunas, fazer as adequações na dieta da fé e darmos andamento o quanto antes a essa terapia de alimentação espiritual, a fim de termos força para enfrentar as tribulações e melhorar a nossa evolução. E posso dizer com toda a convicção que a principal "dieta" consiste em sermos perseverantes na oração.

Quando estamos completamente perdidos em meio à escuridão das trevas, Deus nos traz a luz, ainda que seja um simples palito de fósforo aceso que estimule ainda mais nossos esforços.

Ainda que tudo esteja dando errado, a ponto de acharmos que perdemos o chão e o nosso barco irá naufragar, voltemos a este conselho e busquemos a Luz verdadeira, que é Jesus. Só Ele pode nos guiar e nos conduzir à alegria plena.

PROVAÇÃO
CORREÇÃO
FÉ
SUPERAÇÃO

Se tudo fosse perfeito, já estaríamos no céu.
A tempestade vai passar, acredite.

> *"Meus irmãos, seja para vocês motivo de grande alegria serem submetidos a múltiplas provações, pois assim sabem que sua fé, bem provada, leva à perseverança; mas é preciso que a perseverança produza uma obra perfeita, a fim de serem perfeitos e íntegros sem nenhuma deficiência" (Tg 1, 2-4).*
>
> *"Porque, quando perco toda a minha força, então tenho a força de Cristo em mim" (2 Cor 12, 10b).*

Nas provações, o Senhor como que nos tira do mundo e nos chama para junto de Si. Como pai, Ele permite as provações em nossa vida para instruir, corrigir, reafirmar o Seu amor, curar nossas feridas, mostrar oportunidades maiores e melhores do que já tínhamos.

Vejam que maravilha a pedagogia de Deus: muitas vezes, ficamos acomodados no ramerrão do dia a dia, mas, então, surge uma provação que nos obriga a buscar mais. E, quando conseguimos transpô-la, isso nos traz satisfação. Não raro, nos acostumamos à rotina do "menos" e deixamos de querer mais — e por isso Deus nos provoca.

Muitos estão passando agora por uma situação difícil, até calamitosa. Como suportar essa provação?

Por meio da fé, sempre. Tenha a certeza de que é neste momento que Deus está nos instruindo e curando nossas feridas. Ele está nos desafiando a buscar novos projetos, a desenvolver nossas capacidades; e, se quisermos, nos dará mais sabedoria, talento e criatividade.

Com a provação, Deus não quer ferir, revidar, tampouco apagar quem somos. O que quer é que continuemos sendo nós mesmos, mas mais preparados.

Segundo essa perspectiva, a provação pode ser entendida como um aprimoramento da nossa verdadeira identidade.

PROVAÇÃO
TENTAÇÃO
PATERNIDADE DE DEUS

Algumas provações são verdadeiros livramentos de coisas muito piores. Saiba reconhecer e agradecer.

> *"Meu filho, se você se apresenta para servir ao Senhor, prepare-se para a provação. Tenha coração reto, seja constante e não se desvie no tempo da adversidade. Una-se ao Senhor e não se separe, para que você no último dia seja exaltado. Aceite tudo o que lhe acontecer e seja paciente nas situações dolorosas, porque o ouro é provado no fogo e as pessoas escolhidas, no forno da humilhação. Confie no Senhor, e Ele o ajudará; seja reto o seu caminho e espere no Senhor" (Eclo 2, 1-6).*
>
> *"Eu, um pobre sofredor, gritei; o Senhor me ouviu e me livrou das minhas aflições" (Sl 34, 6).*

Certamente a provação tem um lado doloroso, mas é para o nosso bem.

Provação vem da palavra "prova", ou seja, trata-se de algo que testa a nossa capacidade de resistência — e, conforme a nossa resposta, estaremos ou não aprovados.

Em qualquer ramo de atividade, uma marca só é definitivamente registrada e aprovada por meio de testes, isto é, de exames que comprovem sua qualidade. Só a partir disso ela se torna confiável. Por exemplo, quando vamos comprar certos equipamentos eletrônicos, testamos para ver se estão funcionando. Outro exemplo são os produtos de beleza, que precisam conter no rótulo a confirmação de que são dermatologicamente testados.

A provação ou prova, portanto, atesta que algo ou alguém está apto para a vida. Esse é o sentido positivo de todo tipo de tribulação. Trata-se, portanto, de algo benéfico, e por isso Deus o permite.

A tentação, por sua vez, é diferente: nela há ação voluntária do Diabo. No entanto, diante de uma tentação, havemos de lembrar que Deus não nos deixará ser tentados acima das nossas forças (cf. 1 Cor 10, 13). Até nisso Deus é Pai atento: conhece as nossas fraquezas e impede ou diminui a intensidade da tentação.

Para finalizar, a provação deve ser vista como crescimento e não como castigo, pois nos leva a reconhecer a realidade de nossas fraquezas e irmos além das aparências. Como já afirmei antes, ela faz parte da pedagogia de Deus e da demonstração da sua paternidade. Ele permite não porque não nos conheça, mas justamente para revelar o quanto dependemos d'Ele e o quanto, com isso, podemos crescer.

RAIVA
BRIGAS
BRANDURA

Se continuar falando tão ruidosamente, você não conseguirá escutar Deus. Cale-se para que Ele fale.

> *"Abandonem toda amargura, todo ódio e toda raiva. Nada de gritarias, insultos e maldades!" (Ef 4, 31).*

> *"Não fique com raiva, não fique furioso. Não se aborreça, pois isso será pior para você" (Sl 37,8).*

Já reparou que, na hora em que um filho de Deus está tomado pela raiva, a primeira coisa que ele solta é a língua? Costumo brincar dizendo que algumas pessoas ficam tão furiosas que a língua vai se bifurcando feito a de uma cascavel.

Em condições ideais de pressão e temperatura, parafraseando os físicos, dificilmente algo terrível acontece. A maioria das desgraças ocorre, dentro e fora de casa, porque as pessoas ficam exaltadas.

Uma boca irada torna-se maldita porque provoca sofrimento e destruição. As palavras, quando proferidas sob o domínio da raiva, ferem como granadas e projéteis de arma de fogo, e nem sempre os seus estragos podem ser curados. Uma vez pronunciadas, ficam ecoando no ar até se alojarem em nós, como tatuagem sobre a pele, isto é, como verdadeiras marcas que não podem ser apagadas. Proferir uma injúria é como desferir um tapa no rosto da outra pessoa — e até por isso muitas reagem de forma agressiva ou violenta. Depois, fica complicado definir quem é mais culpado.

Gritos, xingamentos e insultos não ajudam a resolver nenhum tipo de desentendimento; pelo contrário, só servem para colocar ainda mais água na fervura. Por isso, temos de evitar a todo custo chegar a esse ponto extremo, sobretudo dentro de casa. Uma família cristã, fundamentada no alicerce de Jesus, não age assim.

Palavras brandas acalmam uma briga e tornam a conversa sensata, enquanto a palavra dura aumenta a raiva (cf. Pr 15, 1). As discussões no seio do lar geralmente ocorrem porque alguém esqueceu que também é falho e que o problema pode ser encarado por outro ponto de vista.

Pessoas com opiniões diferentes podem, sim, conviver sob o mesmo teto. Que história é essa de famílias sentenciarem que um filho ou parente não é mais bem-vindo em razão de divergências religiosas, políticas...? O cristão que se preza está sempre apto a superar as diferenças, até porque, por mais que elas nos irritem, também podem forjar nossa personalidade.

A própria Igreja, em relação aos carismas, nunca prega a uniformidade, e sim a diversidade. Isso faz a Igreja ser mais presente, completa, formando um mosaico riquíssimo de cores e tendências. A forma cristã é a da diferença que soma.

Empatia é uma palavra importantíssima no que diz respeito à convivência familiar, pois significa colocar-se no lugar do outro. Este é mais um ponto de orientação no mapa que nos guia à sabedoria.

BRIGAS
RAIVA
PROBLEMAS CONJUGAIS

Você conhece o ditado: sentir raiva é como tomar um copo de veneno esperando que o outro morra.

"Se ficarem com raiva, não deixem que isso faça com que pequem (...). Não deem ao Diabo oportunidade de tentá-los" (Ef 4, 26-27).

"Os planos dos bons trazem felicidade; o que os maus planejam produz ódio" (Pr 11, 23).

Marido e mulher não devem dormir brigados e com raiva um do outro. É muito penoso dormir com esse sentimento no coração, sem Deus. A toxicidade inoculada em nosso íntimo pode até causar males físicos. Isso é comprovado cientificamente: muitos sintomas manifestados pelo corpo são somatização de amargura, ódio, raiva e ressentimentos.

Por isso, mesmo contrariados, recomendo aos casais que procurem rezar juntos antes de se recolherem. Não entendo como é possível manter um casamento com base na "raiva nossa de cada dia". Dormir e acordar com gosto de fel na boca... Ninguém merece isso!

Quando ficamos irados, o coração acelera, nossa musculatura tensiona, a respiração encurta e o sangue sobe. É nesse momento que reagimos, muitas vezes atacando para nos defender. Por isso não devemos agir sob tensão ou estresse elevado.

Não se trata de procrastinar o assunto, porque as coisas têm de ser resolvidas, mas de esperar a serenidade — de "contar até mil", se for necessário, de pensar e repensar o assunto sem alimentar a ira. Isso não quer dizer que a conversa não ocorrerá, nem que o problema será "empurrado para baixo do tapete".

Tudo ao tempo de Deus.

RENASCIMENTO MATURIDADE

Ao falar algo sobre alguém, você se pergunta se isso o diminui ou o enobrece? Faça isso para saber se deverá falar ou não. O gosto amargo da maledicência demora para sair da boca...

> *"Prestem atenção na sua maneira de viver. Não vivam como os ignorantes, mas como os sábios. Os dias em que vivemos são maus; por isso aproveitem bem todas as oportunidades que têm. Não ajam como pessoas sem juízo, mas procurem entender o que o Senhor quer que vocês façam"* (Ef 5, 15-16).
>
> *"Porém continuem a crescer na graça e no conhecimento do nosso Senhor e Salvador Jesus Cristo"* (2 Pd 3, 18).

Na vida, o amadurecimento é um processo pelo qual devemos passar, o que inclui a maturidade afetiva e também a maturidade espiritual.

Em relação à maturidade afetiva, não é preciso ser psicólogo para entender que se trata de um desafio constante. Há muitas pessoas já na idade adulta ainda imaturas, que sofrem e fazem os outros sofrerem. Dentro de casa não ajudam; no trabalho, atrapalham; na comunidade e na Igreja, criam divisão. Perceba que aqueles que apresentam comportamento desagregador estão sempre envolvidos em problemas. Se pesquisarmos a origem de todo e qualquer bochicho, não demora a constatarmos que foi fomentado por alguém que demonstra imaturidade na maneira de ser, pensar ou agir.

No ambiente familiar, a situação se afigura ainda mais drástica, exatamente porque há muitas questões sensíveis no dia a dia, as quais tornam mais comum a manifestação de atitudes imaturas em alguns momentos. Afinal, é no lar que nos sentimos mais "à vontade". Certamente existem aqueles que logo reconhecem o exagero, recuam e até pedem desculpas; outros, porém, continuam reféns da própria imaturidade emocional, alimentando um círculo vicioso de atitudes e consequências tóxicas.

No âmbito espiritual, alcançar a maturidade também é um processo. Felizmente, Deus nos quer maduros espiritualmente. E, se Deus quer, nós podemos. Só que, para isso, é preciso nascer de novo.

Nascer do Espírito, do Alto, significa não ficar a reboque das emoções. A maturidade espiritual se revela na entrega, e não na barganha. Sim, a consolação até vem, mas, na maioria das vezes, não é isso o que acontece! Basta olharmos para a vida dos santos!

Sabemos que estamos maduros espiritualmente quando nada nos abala e nos afasta de Jesus. Quando o nosso foco é o Senhor, a graça, a bênção e o Céu.

Oração
DEPRESSÃO

Senhor Jesus Cristo, Filho do Altíssimo,
por Teu Santo Nome,
pelas Tuas Santas Chagas
pelo Teu preciosíssimo Sangue,
livrai-nos e libertai-nos da depressão.
Libertai-nos de todas as amarras
e todas as formas de manifestação
da angústia e da ansiedade.
Cura, Senhor, todas as perdas sofridas,
as lembranças dolorosas, as marcas negativas,
os traumas e as rejeições.
Cura os desafetos e o desamor.
Cura, Senhor, as feridas abertas em minha alma.
Liberta-me, Senhor, da tristeza e
dos pensamentos suicidas.
Liberta-me do sofrimento.
Aumenta a minha fé, renova em mim a esperança,
fortalece-me na dor e restaura em mim
a esperança e a alegria de viver.
Livra-me, Senhor, de todo mal.
Que nos momentos de solidão e desamparo
eu possa sentir Tua presença consoladora.
Amém.

RENASCIMENTO
LINGUAGEM DO AMOR
ESPÍRITO SANTO
UNÇÃO

Você já alcançou a perfeição? Por que, então, a cobra dos outros?

> "Deixem que o Espírito de Deus dirija a vida de vocês e não obedeçam aos desejos da natureza humana. Porque o que a nossa natureza humana quer é contra o que o Espírito quer, e o que o Espírito quer é contra o que a natureza humana quer. Os dois são inimigos, e por isso vocês não podem fazer o que querem. Porém, se é o Espírito de Deus que guia vocês, então vocês não estão debaixo da lei" (Gl 5, 16-18).
>
> "Quem está unido a Cristo é uma nova pessoa; acabou-se o que era velho e já chegou o que é novo" (2 Cor 5, 17).

O Espírito Santo é vida, o santificador, aquele que orienta nossas ações e capacidades. Vem para sepultar o homem velho que há em nós e nos permitir reaprender a viver. Quando Ele chega, o impulso é tão forte, tão impetuoso, que torna a pessoa capaz de amar, perdoar, buscar o Céu e de ficar próxima a Jesus. Também a torna capaz de sair da escuridão e de enxergar no outro o rosto do Senhor.

Quando agimos movidos pelo desejo carnal, pela soberba, pela ganância e pelo egoísmo, ninguém se entende. Tudo vira uma Torre de Babel: a torre da confusão e da maldade, em que o Espírito de Deus não habita e um quer prejudicar o outro.

Por outro lado, quando o Espírito de Deus paira sobre nós e derrama sua unção, nós falamos a mesma língua. Se somos guiados pelo Espírito, estamos sob a Lei do Amor, que cumpre todas as leis, e falamos a linguagem do amor, do perdão e da compreensão. Conseguimos entender as falhas das outras pessoas, compreendendo que ninguém é perfeito.

Com a linguagem que vem do Espírito, conseguimos ter empatia e nos compadecer com a queda do outro, em vez de tirar vantagem de suas fraquezas.

Muitas vezes, precisamos dar tempo a nós mesmos e não desanimar, porque no caminho tendemos a tropeçar, mas o que importa é continuar sob o impulso do Espírito Santo, renovar o desejo de ser dócil a Ele. Nesse processo, com efeito, Deus não exige que estejamos prontos. Como já disse, somos seres em processo, em "andamento", tornando-nos a cada dia um pouco mais renascidos no Espírito Santo, elevados nas ideias de Deus e viventes em Cristo.

SABEDORIA COMPREENSÃO

A sabedoria é o melhor remédio para dormir em paz. E é gratuita. O que está fazendo para adquiri-la?

> *"Filho, tenha sempre sabedoria e compreensão, e nunca deixe que elas se afastem de você. Elas lhe darão vida, uma vida agradável e feliz. Você caminhará seguro e não tropeçará. Quando se deitar, não terá medo, e o seu sono será tranquilo a noite inteira. Você não ficará preocupado com os desastres que caem de repente como uma tempestade sobre os maus. Pois o Senhor Deus lhe dará segurança e nunca o deixará cair numa armadilha"* (Pr 3, 21-26).

Deus, nosso Pai e Criador, é a fonte de toda a verdadeira sabedoria. E esta sabedoria começa no temor a Ele — o que não quer dizer sentir medo, mas amor e respeito por Deus e suas Leis.

A sabedoria vem de Deus porque Ele é Sabedoria por excelência — e bem diferente daquela que prevalece no mundo. E o Espírito Santo compartilha conosco essa sabedoria, que confere a capacidade de entender as verdades espirituais, fazer boas escolhas e distinguir o que é bom do que é ruim.

Ser sábio não significa apenas ter conhecimentos técnicos. Há muitos estudiosos ou pessoas "letradas", como se dizia antigamente, que vivem em estado de ignorância espiritual. A sabedoria que vem do Alto é pura, pacífica, amável, compreensiva, misericordiosa, imparcial, sincera e sempre gera bons frutos. E é oferecida a todos, letrados e iletrados, ricos e pobres, homens e mulheres.

Sejamos nós, pois, frutos da Sabedoria, à semelhança de Jesus Cristo.

E como adquirir essa sabedoria espiritual?

São Tiago aconselha: "Se alguém tem falta de sabedoria, peça a Deus, e ele a dará" (Tg 1, 5).

Que maravilha! Se pedirmos, Deus, por meio do Seu Santo Espírito, concede-nos a sabedoria para sermos puros, pacíficos, amáveis, compreensivos, misericordiosos, imparciais e sinceros. Isso é valioso, mais valioso que o ouro e a prata.

PALAVRA DE DEUS
FILHOS
SEMEADURA
MISSÃO

O melhor e mais completo manual de sobrevivência é a Bíblia Sagrada. Há quanto tempo você não abre a sua? E quer sobreviver assim?

"Quanto a você, continue firme nas verdades que aprendeu e em que acreditou de todo o coração. Você sabe quem foram os seus mestres na fé cristã. E, desde menino, você conhece as Escrituras Sagradas, as quais lhe podem dar a sabedoria que leva à salvação, por meio da fé em Cristo Jesus. Pois toda a Escritura Sagrada é inspirada por Deus e é útil para ensinar a verdade, condenar o erro, corrigir as faltas e ensinar a maneira certa de viver" (2 Tm 3, 14-16).

"A tua palavra é lâmpada para guiar os meus passos, é luz que ilumina o meu caminho" (Sl 119, 105).

A Palavra de Deus é sempre atual e cheia de esperança, pois possibilita uma relação amorosa com Ele, que sempre nos dá forças. Por Sua Palavra, Deus nos fala com amor de Pai, corrigindo e mostrando o caminho a seguir.

São João inicia seu Evangelho referindo-se a Jesus Cristo como o *Logos*, que em grego significa *Palavra*, o *Verbo*. Ele é a Palavra divina que tomou forma humana e habitou entre nós: "No princípio era a Palavra, e a Palavra estava com Deus, e a Palavra era Deus" (Jo 1, 1).

Lançando a sua proposta do Reino, Jesus recorreu a parábolas para ensinar a necessidade de semear a Palavra (cf. Mt 13, 1-9). Ela deve ser lançada, e não importa onde irá cair e nem mesmo se irá germinar. Nossa missão é semear, ou seja, lançá-la e disseminá-la em todos os campos.

Não obstante, o semeador enfrenta muitos percalços. Não raro, acaba recuando ou desistindo, muitas vezes por medo. Mas a ordem de Jesus é para semearmos sempre. E que lugar é melhor para começar a semear do que aquele em que se está, isto é, na família, que é a célula da qual deriva toda a sociedade à nossa volta?

Observo consternado que muitos pais desistem de semear nos filhos sementes de bondade, amor, fé e oração. Outros se dizem cansados por parecer que estão batendo em ferro frio; querem ver resultados imediatos, e nem sempre é assim que acontece. O tempo é de Deus.

Por isso, deixo esta mensagem para quem tem filhos ou netos pequenos:

A melhor época de semear a Palavra é na infância, lembrando que não se semeia a Palavra só com discurso, mas por meio de atitudes. Que eles os vejam rezando, lendo as Escrituras, rezando um Terço!

Quando eles chegam à adolescência e à juventude, a chamada "fase da rebeldia", os princípios ensinados podem até ficar momentaneamente adormecidos, mas, se a semeadura foi bem feita, as sementes brotarão. É como nos períodos de estio: tudo fica amarelado e parece que a plantação se foi, mas, quando chega a primavera, na primeira chuva renasce ainda mais verdejante.

Atenção, pais e mães: semeiem o quanto possível a Boa Semente, que é Jesus, o *Logos*, a Palavra do Pai, pois somente ela dará bons frutos.

CASAMENTO
SEPARAÇÃO
AMOR
DEDICAÇÃO

Ninguém disse que seria fácil, mas é possível. Tente quantas vezes precisar. Deus deseja nossa luta — dos efeitos benéficos Ele se encarrega...

> "Não despreze uma esposa sábia e boa, porque a bondade dela vale mais que o ouro" (Eclo 7, 19).
>
> "Por acaso, Deus não fez dos dois um único ser, dotado de carne e espírito?" (Ml 2,15).

Este conselho vale tanto para os maridos quanto para suas esposas: não desdenhem das limitações de quem está ao seu lado procurando cuidar de você com bondade e sabedoria. Sem dúvida, esse é o maior tesouro que você já conquistou.

Hoje em dia as pessoas trocam de relacionamento com quem troca de roupa. Isso não é conversa de padre conservador. A vida está se tornando tão descartável como o último modelo de *smartphone*. Como é possível atingir a plenitude da vida emocional humana — a experiência de amar e ser amado — e, da noite para o dia, deixar tudo isso se desmontar na sua frente como um *display* de celular que cai no chão?

Alguém já parou para se perguntar por que o amor "acaba"?

E mais: será que é realmente possível o amor verdadeiro se acabar?

O amor não acaba: ele deixa de ser alimentado, especialmente quando a fonte principal entra em curto e passa a rarear a atenção, o respeito, a consideração. Muitas pessoas casadas sentem-se frustradas e querem voltar a ter vida de solteiro. Passam a viver uma adolescência tardia em plena fase madura. Então o cônjuge não consegue acompanhar esse ritmo e fica para trás, desprezado. Esses dias eu li que inventaram uma aliança inteligente capaz de rastrear o companheiro e descobrir por onde ele tem andado. Lamento dizer, mas quem precisa colocar um rastreador no marido ou na esposa já perdeu algo muito mais valioso, que é a confiança e o respeito mútuo...

Quando um dos cônjuges começa a olhar para os lados, como se diz popularmente, está na verdade seduzido pela paixão em detrimento do amor. É claro que existem pessoas muito atraentes, as quais chamam a atenção, e ninguém é cego. Mas quando o olhar do amor, da dedicação, da comunhão de sonhos, prevalece, não há outra vista que possa suplantar esse porto seguro.

Perceba que citei a comunhão de sonhos para reforçar que não basta caminhar junto com alguém: é preciso compartilhar o mesmo propósito de vida. Assim como os sonhos, o amor verdadeiro não envelhece.

SUICÍDIO SOFRIMENTO TRISTEZA DOR

Um suicida não quer acabar com a própria vida; quer que parem a dor e o sofrimento. Dê sorrisos e palavras amigas a todos: você nunca sabe a batalha interior que os outros estão enfrentando.

> *"Não procurem a morte, desviando a própria vida de vocês, nem provoquem a ruína com as obras que vocês praticam, pois Deus não fez a morte, nem se alegra com a perdição dos seres vivos"* (Sb 1, 12-13).
>
> *"Escolha, pois, a vida, para que viva você e seus descendentes"* (Dt 30, 19).

É negativamente impressionante como aumentaram os casos de pessoas que perderam completamente o interesse pela vida e manifestam pensamentos suicidas.

São muitos os fatores que podem causar tristeza profunda. Aos problemas físicos e de ordem prática, somam-se os emocionais e psíquicos, sem contar o consumo de substâncias entorpecentes, que sempre potencializam o mal-estar. A sensação de superficialidade ou falta de sentido da nossa sociedade globalizada é um dos ingredientes-chave dessa combustão, sem contar os episódios de *bullying*, abusos e preconceitos, bem como a cobrança por padrões de beleza e de sucesso inatingíveis.

Suicídio não pode ser tabu e devemos conversar amplamente a esse respeito, manifestando compreensão e acolhimento. A solução não é simples, e naqueles casos em que o ato extremo foi consumado, familiares e pessoas diretamente impactados necessitam de suporte e tratamento.

Se prestarmos atenção, a questão do suicídio está contemplada no Quinto Mandamento da Lei de Deus: "Não matarás." Isso significa que não se pode ceifar nenhuma vida, incluindo a nossa.

Ainda assim, não nos cabe julgar as motivações que levam uma pessoa a cometer suicídio. Deus, na Sua infinita misericórdia, é o único que conhece as aflições e responsabilidades de cada um, bem como o grau de liberdade de que a vítima dispunha ao fazer o que fez. De todo modo, é aterrador constatar que a grande maioria dos suicidas não tem a real intenção de acabar com a própria vida! Não! Seu intuito é unicamente pôr fim ao sofrimento insuportável que sentem.

Para todos os que estão passando por um momento de grande dor e vazio, meu apelo é o de que, antes de um gesto extremo, procurem ajuda profissional e espiritual. A solução não é fácil, mas isso não quer dizer que não seja possível. Sabemos que para Deus nada é impossível. "Confiem sempre no Senhor, pois Ele é o nosso eterno abrigo" (Is 26, 4). Dê uma chance a Deus. É só o que Ele pede.

Quando os problemas nos fazem mergulhar num poço escuro, aparentemente sem saída, podemos ter a certeza de que Jesus está próximo, estendendo a mão para nos amparar. Ele se interessa por tudo o que nos diz respeito.

UNIÃO COM CRISTO FORTALECIMENTO ESPIRITUAL CONFIANÇA

Os outros cristãos devem constituir, para você, uma comunidade em que o serviço prevalece e em que todos devem beber da água do Espírito Santo. Como você contribui para isso?

"Portanto, já que vocês aceitaram Cristo Jesus como Senhor, vivam unidos com Ele. Estejam enraizados n'Ele, construam a sua vida sobre ele e se tornem mais fortes na fé, como foi ensinado a vocês. E deem sempre graças a Deus. Tenham cuidado para que ninguém os torne escravos por meio de argumentos sem valor, que vêm da sabedoria humana. Essas coisas vêm dos ensinamentos de criaturas humanas e dos espíritos que dominam o universo, e não de Cristo. Pois em Cristo, como ser humano, está presente toda a natureza de Deus, e, por estarem unidos com Cristo, vocês tudo têm n'Ele. Ele domina todos os poderes e autoridades espirituais" (Cl 2, 6-10).

> *"Confie no Senhor de todo o coração e não se apoie na sua própria inteligência" (Pr 3, 5).*

Para estarmos unidos a Cristo, é preciso pensar e agir como Ele: "Como Cristo agiria em determinado caso? O que diria?"

Em tudo o que fizermos, devemos estar unidos com Cristo e enraizados n'Ele. O batismo nos permite essa intimidade. Como se diz na teologia, o batizado é "filho no Filho", isto é, filho de Deus por adoção em Cristo. Podemos estar em Cristo!

Uma árvore cujas raízes não são profundas ou estão apodrecidas, ocas por dentro, desaba quando se depara com ventos mais fortes. Já aquelas que estão bem enraizadas no solo suportam qualquer tempestade e ventania.

Cuidemos para não sermos pessoas levianas, sem raízes, porque qualquer revés balança nossa vida e nos faz entrar em desespero.

De acordo com Jesus Cristo, aquele que constrói sua morada sobre areia enfrenta grande ruína quando vêm o vento e a chuva; já a casa edificada sobre a rocha, nada derruba (cf. Mt 7, 24-27).

Uma vida construída em Cristo, a Rocha Firme, nada abala. Por isso vivamos unidos, enraizados, ligados a Ele, buscando o conhecimento e a sabedoria do seu Santo Espírito.

NATUREZA VELHA
PAIXÃO
COMPULSÃO SEXUAL
MENTIRA
COBIÇA
IDOLATRIA
INVEJA
ÓDIO
RAIVA

Alguns vícios são químicos e evidentes, mas há outros que são mais discretos. Reclamar e falar mal dos outros podem ser alguns deles. Você certamente tem os seus...

"*Portanto, matem os desejos deste mundo que agem em vocês, isto é, a imoralidade sexual, a indecência, as paixões más, os maus desejos e a cobiça, porque a cobiça é um tipo de idolatria. Pois é por causa dessas coisas que*

> *o castigo de Deus cairá sobre os que não lhe obedecem. Antigamente a vida de vocês era dominada por esses desejos, e vocês viviam de acordo com eles. Mas agora livrem-se de tudo isto: da raiva, da paixão e dos sentimentos de ódio. E que não saia de sua boca nenhum insulto e nenhuma conversa indecente. Não mintam uns para os outros, pois vocês já deixaram de lado a natureza velha com os seus costumes" (Cl 3, 5-9).*
>
> *"Dê-nos forças novamente, e assim o seu povo se alegrará por causa de você" (Sl 85, 6).*

"Natureza velha" é uma expressão que não se refere à idade cronológica de uma pessoa, mas à sua índole pagã, ou seja, ao fato de não seguir os princípios cristãos.

Neste conselho, o apóstolo Paulo se refere a "antigamente", mas é inegável que esse estado de impiedade é coisa que se estende até os nossos dias.

A imoralidade sexual, por exemplo, leva muitas pessoas à perdição. Sempre recebo partilhas sobre esse assunto, e o sentimento de todos aqueles que a praticam, sem exceção, é descrito por palavras como "vazio" e "nojo". O sexo pelo sexo não alimenta a alma humana porque ela é carente de sentido: finge oferecer plenitude, mas essa promessa se esvai num segundo.

Do mesmo modo, as paixões, isto é, nossos sentimentos mais exacerbados, comprometem a nossa capacidade de raciocinar, tornando-nos intransigentes, reativos, avessos ao contraditório. Defender com fervor uma causa ou afeto pode ser louvável, mas não podemos nos fechar ao diálogo com aqueles que pensam diferente de nós e demonizá-los apenas porque compartilham de outra visão de mundo.

Comportamentos agressivos, conversas vazias e indecentes, mentiras são indícios de que ainda estamos sob o domínio da "velha natureza". Nesse estado, vemo-nos comandados por desejos maus. Sabe aquele ditado que diz: "Bela viola por fora, pão bolorento por dentro"? Ainda que não verbalizemos, Deus sabe o que vai em nosso íntimo.

Devemos tomar sempre muito cuidado com a cobiça, não apenas aquela da qual somos alvos, mas sobretudo a que alimentamos dentro de nós. Desejar algo ardentemente a ponto de dividir o coração entre Deus e as coisas terrenas é sinal de idolatria. Ao cobiçarmos as conquistas de alguém, pessoais ou profissionais, estamos substituindo a Lei e a Palavra de Deus pelo sentimento de admiração excessiva dirigido a um ídolo, que pode ser o casamento do vizinho, o cargo de um parente em uma multinacional, o que for.

Se não for eliminada, a cobiça pode abrir espaço para sentimentos de inveja e ódio, a ponto de gerar ações deliberadas para derrubar o outro. Há pessoas que odeiam gratuitamente e sentem raiva até do amor manifestado por terceiros. Vivem em estado permanente de cólera, vociferando insultos.

Busquemos sempre a linguagem do amor e a transformação em Cristo. Nossos desejos desordenados são apenas promessas vãs. A promessa do Senhor, sim, é capaz de nos dar sentido e plenitude.

MODERAÇÃO
EQUILÍBRIO
CONSCIÊNCIA
PRUDÊNCIA
SOBRECARGA
ANSIEDADE
INSEGURANÇA

Você tem seus limites sempre diante dos olhos?
E como pode querer ser humilde desse jeito?

> *"Meu filho, não se encha de coisas para fazer. Se exagerar, acabará cometendo erros; e, mesmo se correr, não chegará (...). Há pessoas que trabalham, se afadigam e se atropelam e, apesar de tudo, estão sempre atrasadas"* (Eclo 11, 10-11).

Muitas vezes, tomados pela ansiedade, por insegurança e, também, pela empolgação momentânea diante de novas oportunidades, assumimos tarefas em excesso. Na ânsia de entregar tudo ao mesmo tempo, esquecemos da importância do filtro e do foco.

Filtrar significa separar o joio do trigo, identificar o que realmente importa e o que nos faz bem. Feito isso, é necessário focar sua atenção para que a sua entrega saia a contento. Isso vale tanto para o ambiente corporativo e comunitário quanto para a vida em família. Devemos estar por inteiro naquilo que precisamos fazer. Ou vocês acham que Jesus e São José trabalhavam atrapalhados em sua oficina de carpintaria?

Não se pode abraçar tudo. Quem faz isso acaba não conseguindo concluir nada. Ter consciência dos próprios limites nos torna prudentes em nossas escolhas e nos faz serenos para realizarmos bem o que está ao nosso alcance. O próprio Jesus fez os discípulos descansarem, lembra?

Quando nos sobrecarregamos de coisas, a qualidade da entrega cai e, além de nos frustrarmos, também prejudicamos quem conta conosco e espera o melhor de nós. Isso é clara falta de caridade, pois os outros precisam de nós também. Não é saudável gastar todo o nosso tempo querendo fazer tudo de uma vez e com isso negligenciarmos a família, o lazer, a companhia de amigos.

Oração
CRISES FINANCEIRAS

Senhor Jesus, que nos disseste
para não nos preocuparmos
com o que haveremos
de comer, de beber e de vestir,
o que Te peço não é riqueza em excesso;
peço-Te, antes, que não me deixes
faltar o pão de cada dia
e o necessário para mim e minha família.
Senhor, ajuda-me a superar a crise financeira.
Tira, Senhor, de mim a preocupação e o medo,
e aumenta em mim a confiança
na Tua providência.
Protege-me, no meu ambiente de trabalho,
da inveja, da calúnia e da difamação.
Afasta, Senhor, de minha vida
pessoas com má intenção.
Dá-me saúde para trabalhar
e a oportunidade de exercer minha profissão.
Dá-me discernimento nos negócios
e controle nos gastos.
Dá-me um espírito empreendedor e cooperador,
Um espírito solidário, de amor e de justiça.

PE. REGINALDO MANZOTTI

Aos desempregados, Senhor, abri
as portas de um emprego.
Tudo isso eu te peço pelos méritos
de Tuas Santas Chagas.
Amém.

PREGUIÇA
ACÍDIA
CONCUPISCÊNCIA
MUNDANIDADE
COMODISMO
DESÂNIMO

Quer que algo saia bem feito? Peça a uma pessoa ocupada para fazê-lo.

"Preguiçoso, aprenda uma lição com as formigas! Elas não têm líder, nem chefe, nem governador, mas guardam comida no verão, preparando-se para o inverno. Preguiçoso, até quando vai ficar deitado? Quando vai se levantar? Então, o preguiçoso diz: 'Vou dormir somente um pouquinho, vou cruzar os braços e descansar mais um pouco'. Mas, enquanto dorme, a pobreza o atacará como um ladrão armado" (Pr 6, 6-11).

"O preguiçoso fica pobre, mas quem se esforça no trabalho enriquece" (Pr 10, 4).

Quem nunca desejou um dia para não fazer nada, não é? Dormir sem ter horário para despertar, poder ficar deitadão no sofá, assistindo a filmes ou a seriados, comendo o que estiver pronto...

A maioria de nós já experimentou momentos de preguiça ou falta de motivação para agir — isso é normal. O perigo ocorre quando deixamos a preguiça tomar conta da nossa rotina, transformando-se num vício moral que determina uma decisão consciente pela inércia, por evitar constantemente o que demanda energia e empenho.

A preguiça pode se manifestar de maneira sutil também: a pessoa até faz o que deve fazer, mas de forma desleixada, lenta, indiferente.

No plano espiritual, a preguiça assume a forma da acídia, que é a lentidão pela busca espiritual: trata-se da recusa voluntária do esforço para união com Deus.

Assim como a gula e a luxúria, a preguiça também responde aos desejos da carne: afinal, dá certo prazer relaxar o corpo e evitar esforços. Porém, ao contrário dos pecados capitais citados, que se caracterizam pelo excesso, a preguiça se caracteriza pela inatividade, pelo comodismo, pela falta de vontade, ânimo e amor em relação ao bem e à busca das virtudes. Isso pode gerar sérios problemas pessoais e sociais. No limite, culmina na tristeza, no desinteresse pela vida e na exaustão do espírito.

Deus desaprova a preguiça, pois é uma atitude dos tolos. Para que ela nunca se instale em nossa vida, devemos lutar com força de vontade, disciplina e ocupações produtivas, entre as quais faço questão de incluir a vivência espiritual e de oração.

NATUREZA NOVA
MISERICÓRDIA
BONDADE
GENTILEZA
TOLERÂNCIA
PRECONCEITO
DISCRIMINAÇÃO

Você reclama da impaciência dos outros. Mas como vai a sua?

> *"Vocês são o povo de Deus. Ele os amou e os escolheu para serem d'Ele. Portanto, vistam-se de misericórdia, de bondade, de humildade, de delicadeza e de paciência. Não fiquem irritados uns com os outros e perdoem uns aos outros, caso alguém tenha alguma queixa contra outra pessoa. Assim como o Senhor perdoou vocês, perdoem uns aos outros. E, acima de tudo, tenham amor, pois o amor une perfeitamente todas as coisas" (Cl 3, 13-14).*

> *"Ó, Deus, crie em mim um coração puro e dê-me uma vontade nova e firme!" (Sl 51, 10).*

O apóstolo Paulo nos exorta a vestir uma nova natureza, aquela por meio da qual cada um se torna uma nova pessoa em Deus. Pecadores todos somos, e isso não é novidade para ninguém, muito menos para Deus. Mas Ele nos ama, e nós somos o Seu povo.

Veja que fabulosa é esta revelação: não existem diferenças fundamentais entre as pessoas! A Trindade habita em todos os batizados. Todos nós temos dignidade equiparada pelo batismo! Quando adquirimos essa consciência, quaisquer preconceitos, discriminações e rótulos caem por terra.

Ninguém é melhor do que ninguém; fomos feitos da mesma matéria, do mesmo barro. Fomos resgatados pelo mesmo Sangue. Para que tanta arrogância no coração das pessoas?

Nós somos povo de Deus, é fato. Devemos nos vestir de misericórdia, ter o coração compassivo, aceitar os defeitos dos outros, ter paciência. Essa é uma virtude a ser pedida ao Senhor todo dia. E Ele espera nossa cooperação, nossos esforços, nossa determinação.

Portanto, vista-se de bondade. Seja delicado dentro de casa, introduzindo em seu vocabulário palavras de gentileza, como "por favor", "com licença", "obrigado". Evite as grosserias.

Da mesma forma, não fique irritado com os outros por mais que alguns instantes. Quem nunca errou? Todos erramos e todos queremos ser perdoados, então... perdoemos. O amor é o elo perfeito que une tudo e todos a Deus e entre si.

Deixemos a velha natureza, busquemos a nova natureza em Deus.

CORAGEM
FIRMEZA
APOSTOLADO
PRUDÊNCIA

Já se sentiu incapaz de algo? Às vezes os outros acreditam mais em nós do que nós mesmos. Se Deus confia em sua capacidade, por que você desconfiaria dela?

> "Seja forte e corajoso! Não fique desanimado nem tenha medo, porque eu, o Senhor, seu Deus, estarei com você em qualquer lugar" (Js 1, 9).
>
> "Tudo posso naquele que me fortalece!" (Fl 4,13).

Somos constantemente desafiados a dar passos que exigem coragem, tanto no âmbito pessoal quanto profissional. E na vida espiritual os desafios são ainda maiores.

Segundo os dicionários, "coragem" significa "bravura; intrepidez; moral forte perante o perigo". Ou, ainda "firmeza de espírito para enfrentar situação emocional ou moralmente difícil".

Eu sintetizo o significado da palavra "coragem" como a virtude que nos faz avançar e enfrentar as situações apesar do medo. Posso garantir que, num mundo secularizado como o nosso, essa virtude é essencial para propagar o Evangelho e tornar conhecida e atual a verdade de Cristo.

Se a última coisa que Cristo nos disse antes de subir ao céu em corpo e alma foi para que levássemos sua Palavra aos quatro cantos da terra, como podemos duvidar de que Ele nos ajuda? Quando estamos vivenciando tribulações, portanto, jamais devemos pensar: "Deu tudo errado."

Não!

Somos chamados em Cristo a enfrentar, lutar e vencer as tribulações a despeito do medo. No céu poderemos saber como a tribulação nos fez bem! Portanto, confiemos no Espírito que nos guia e que Cristo conquistou para nós: "Pois o Espírito que Deus nos deu não nos torna medrosos; pelo contrário, o Espírito nos enche de poder e de amor e nos torna prudentes" (2 Tm 1, 7).

Prudência e coragem não são virtudes contraditórias entre si. Segundo o Catecismo da Igreja Católica, prudência não se confunde com timidez, nem com medo, nem com duplicidade ou dissimulação. É ela que guia as outras virtudes, indicando-lhes a regra e a medida (cf. *Catecismo da Igreja Católica*, n. 1806).

Diante de qualquer problema, por maior que ele seja, podemos nos vitimizar e recuar, ou enfrentá-lo com firmeza de espírito: "Eu terei coragem e vou vencer. Os problemas são grandes, mas meu Deus é maior."

DEPRESSÃO
SOFRIMENTO
TRISTEZA
FORTALECIMENTO ESPIRITUAL

Já notou que algumas pessoas chegam perto e mudam a atmosfera do lugar? Quando é você quem chega, como as coisas ficam?

"Alguém de vocês está sofrendo? Reze. Está alegre? Cante. Alguém de vocês está doente? Mande chamar os presbíteros da Igreja para que rezem por ele, ungindo-o com óleo em nome do Senhor. A oração feita com fé salvará o doente: o Senhor o levantará e, se ele tiver pecados, será perdoado" (Tg 5, 13-15).

"O coração ansioso deprime o homem, mas uma palavra bondosa o anima" (Pr 12,25).

A depressão é o mal do nosso século. Atinge a muitos, independentemente de etnia, *status* social, ocupação, faixa etária ou qualquer outra variável. Todos estamos sujeitos a ter de lidar com essa doença.

Como relatei no meu livro *Feridas da alma*, a depressão chega de mansinho e, se nos entregamos e não lutamos, acabamos sendo dominados por um estado de prostração.

Se, mesmo rodeado de pessoas, alguém sente uma solidão, ansiedade e tristeza que não passa, até mesmo um desejo de morrer, deve acender o sinal de alerta e buscar ajuda médica. Procurar distrair-se com atividades que diminuem o estresse, como exercícios físicos, meditação e a companhia de amigos também é um comportamento que deve ser mais estimulado no dia a dia.

Outro ponto fundamental é buscar fortalecer-se espiritualmente, claro. Quando confiamos na bondade e no amor deste Senhor Jesus das Santas Chagas, mesmo não tendo vontade de rezar, naquelas noites mais escuras, em meio ao desalento e à tristeza, podemos experimentar Sua presença. Peçamos que uma gota do seu Sangue Redentor nos cure e liberte.

Encontramos no Livro dos Provérbios uma citação que ilustra a diferença da doença física para a psíquica: "O bom ânimo sustenta na doença. Mas quem levantará o espírito abatido?" (Pr 18, 11). Esse abatimento do espírito gera a desesperança quando passamos a acreditar que estamos numa situação que não podemos mudar, a qual está além de nossas forças.

Hoje, graças a Deus, existem diversos medicamentos, terapias, abordagens e recursos que ajudam a lidar com a depressão, e esses não devem ser desprezados. Minha mensagem a quem se encontra nessa situação é que temos um Deus que sabe o que é sofrimento e tristeza. Ele foi esmagado e venceu a morte.

Por isso, acredite: você também pode vencer essa doença! Jamais perca a fé. Mesmo que tudo pareça escuro e sombrio, olhe para o Crucificado e tente abrir apenas uma brechinha minúscula da mente e da alma, e a Luz de Cristo vai entrar e fazer toda a diferença.

Você não *é* depressivo, apenas *está* depressivo. Com Cristo, você vai vencer! Ninguém o ama mais do que Ele.

VÍCIOS
DROGAS
COMPULSÕES

Diga-me com quem andas e eu te direi como será seu futuro.

> *"Escute, meu filho. Seja sábio e pense seriamente na sua maneira de viver. Não ande com gente que bebe demais, nem com quem come demais. Porque tanto os beberrões como os comilões vivem com sono e acabam na pobreza, vestindo trapos" (Pr 23, 19-21).*
>
> *"O vinho é zombador e a bebida fermentada provoca brigas; não é sábio deixar-se dominar por eles" (Pr 20, 1).*

Os vícios e as compulsões têm sido uma das maiores causas da destruição de vidas e famílias. Infelizmente, o primeiro gole, a primeira tragada e o contato com drogas ilícitas ocorrem cada vez mais cedo, ainda na adolescência, por influência de pessoas próximas.

O alcoolismo, por exemplo, é uma doença que não faz distinção de sexo nem idade. Muitas pessoas não têm consciência do risco que correm, porque, ao beberem "socialmente", não percebem que estão exagerando — e cada vez mais...

Os vícios, sejam eles em drogas lícitas ou ilícitas, sem esquecer a compulsão por sexo e jogos, invariavelmente levam ao descontrole, deteriorando a saúde física e mental das pessoas. O viciado desperdiça seus sonhos, perde a paz e a dignidade e se afunda financeiramente.

O prognóstico de um quadro de dependência química nunca é muito favorável, contudo temos de propagar a informação de que existe tratamento disponível para todos, incluindo grupos de apoio gratuitos nas comunidades e igrejas. Portanto não há desculpa para não se conscientizar do problema e buscar ajuda.

Outra âncora de apoio que não falha é a fé. Acreditar com todas as forças que, em Jesus, no Seu poder infinito, é possível vencer os vícios, faz toda a diferença. Nos momentos em que parece impossível, isso nos dará luz e força.

Cristo é a verdade que liberta. Sim, Ele é nosso Salvador e o nosso Libertador, como afirmou o Apóstolo Paulo: "Cristo nos libertou para que nós sejamos realmente livres. Por isso, continuem firmes como pessoas livres e não se tornem escravos novamente" (Gl 5, 1).

Com Cristo e em Cristo, por suas Santas Chagas Dolorosas e Gloriosas, podemos recuperar nosso bom amor-próprio, aumentar nossa autoestima e sermos curados.

IDOSOS
FAMÍLIA
TOLERÂNCIA
SABEDORIA

Deixe o passado no passado para não perder o presente.

> *"Meu filho, cuide de seu pai na velhice, e não o abandone enquanto ele viver. Mesmo que ele fique caduco, seja compreensivo e não despreze, (...) pois a caridade feita ao pai não será esquecida e valerá como reparação pelos pecados que você tiver cometido. No dia do perigo, o Senhor se lembrará de você, e seus pecados se derreterão como geada ao sol. Quem despreza seu pai é um blasfemador, e quem irrita sua mãe será amaldiçoado pelo Senhor" (Eclo 5, 12-16).*

> *"Ensine-nos a contar os nossos dias para que o nosso coração alcance sabedoria" (Sl 90, 12).*

Infelizmente, em nossa sociedade, mais precisamente na cultura ocidental, ainda existe a tendência dominante de associarmos a velhice à ideia de fim da linha. Por exemplo, depois de certa idade, pessoas não são aceitas em vagas de emprego simplesmente por razões etárias, não obstante algumas iniciativas louváveis de mudança de paradigma em determinados setores.

De fato, são inúmeras as restrições sofridas pelos idosos. Muitos tratam os mais velhos como pessoas que não produzem e, portanto, nada mais têm a oferecer. São desprezados e deixados de lado como um chinelo gasto.

Por outro lado, dizem que os povos orientais tratam seus anciãos com o máximo respeito em reconhecimento por sua sabedoria. E acredito que essa deveria ser a nossa conduta também. Por isso, sempre faço questão de lembrar aos pais para ensinarem seus filhos a aproveitarem a sabedoria dos avós. O ambiente familiar tem papel fundamental no processo de envelhecimento e na estabilidade emocional dos idosos.

Eu tive a imensa felicidade e a graça de ter meu pai comigo em sua velhice. Ele era muito ativo, gostava de ajudar, de ser útil, de viajar comigo, de ir a eventos, e sempre que possível eu o levava. Como foi comerciante, era muito bom em fazer contas, então ficava encarregado de fechar o caixa dos itens comercializados. Todas as tardes, recolhia as "fitas amarelas", como ele chamava as notas das máquinas, e não passava um centavo a mais ou a menos pelo seu crivo.

Meu pai também era um importante elo com os paroquianos; todos os dias, sentava-se em uma cadeira, no Presbitério, para participar da Santa Missa. Depois de sua partida, demorou para os membros das equipes ocuparem aquela cadeira, em respeito a ele.

Posso dizer por experiência própria, a todas as famílias: não despreze seus idosos. Nenhuma casa de repouso, por mais humanizada que seja, pode substituir a convivência familiar.

Quando os idosos têm condições de morar sozinhos, que não fiquem isolados. Digo sempre aos filhos para visitarem e monitorarem discretamente o andamento das coisas, sem tirarem sua autonomia.

E mais: paciência, muita paciência. Uma paciência que valoriza. Ouçam pela terceira, quarta vez a mesma história, por que não? E interajam como se fosse a primeira vez. Respondam com um sorriso quando forem chamados pelo nome de todos os outros irmãos até acertarem o seu. Deixem que falem sobre a vida e troquem experiências. Seus pais e avós lhe deram tantas coisas — a vida, sobretudo! —, e você não é capaz de sacrificar um pouco o seu bem-estar por eles?

Isso não tem preço que pague. Depois, restarão doces lembranças.

VAIDADE
IDOLATRIA
BELEZA INTERIOR

Deus é uma unidade. Deus é simples. E dessa simplicidade emana uma beleza inefável. Por que você complica as coisas se um espírito simples é mais agradável do que todas as joias do mundo?

> *"Não procure ficar bonita usando enfeites, penteados exagerados, joias ou vestidos caros. Pelo contrário, sua beleza deve estar no coração, pois ela não se perde; ela é a beleza de um espírito calmo e delicado, que tem muito valor para Deus" (1 Pd 3, 3-4).*
>
> *"Vaidade das vaidades, diz o Eclesiastes, vaidade das vaidades! Tudo é vaidade" (Ecl 1, 1).*

Tudo é vaidade. Todos nós manifestamos vaidade, tanto em relação a dotes físicos quanto intelectuais, materiais e espirituais, mas devemos lutar sempre contra essa tendência.

A vaidade em altas doses é perigosa, porque nos torna pessoas fúteis, vazias, iludidas, ávidas por atenção e até deuses ou mitos para nós mesmos.

Conteúdos midiáticos costumam ser a métrica da vaidade no mundo atual. Eles influenciam e ditam padrões de beleza e de *status* social para mulheres e homens, o que resulta em condutas patológicas de culto excessivo ao corpo e consumismo.

O vaidoso típico é alguém que não mede esforços para ser notado, querido e aceito. Gosta de ser admirado, movido por uma necessidade contumaz de provar que é melhor ou tem qualidades superiores aos outros.

Se analisarmos a vaidade conforme os preceitos bíblicos, observamos que seu significado é bem mais amplo do que cuidado exagerado com a aparência e ostentação. Trata-se de um sentimento tolo de quem tenta encontrar a felicidade fora de Deus. Esse comportamento leva ao orgulho e à idolatria. Isso ocorre quando deixamos de ter tempo para Deus e passamos a nos interessar somente por nós mesmos.

Em sua Primeira Carta, o apóstolo Pedro enfatiza que a beleza que não perece e agrada a Deus é a interior. Combatamos, pois, esse pecado capital com as virtudes da bondade e da humildade, assim como com gestos de gentileza, educação e empatia.

A satisfação que a vaidade proporciona é temporária. Por isso, não coloque sua confiança naquilo que é material e mundano. Coloque-a em Deus, que é eterno e fiel. A beleza exterior passa, enquanto a beleza interior é permanente.

TRAIÇÃO
INFIDELIDADE
BRIGAS
CASAMENTO

Uma "pisada na bola" pode colocar tudo a perder. Você está atento às ocasiões de pecado? Com isso não se brinca, mesmo que pareça "gostoso".

"Por acaso Deus não fez dos dois um único ser, dotado de carne e espírito? E o que é que esse único ser procura? Uma descendência da parte de Deus! Portanto, controlem-se para não serem infiéis à esposa de sua juventude" (Ml 2, 15).

"Os lábios da mulher imoral podem ser tão doces como o mel e os seus beijos, tão suaves como o azeite; porém, quando tudo termina, o que resta é amargura e sofrimento.
Ela está descendo para o mundo dos mortos; a estrada em que anda é o caminho da morte. Essa mulher não anda na estrada da vida; ela caminha sem rumo, mas não sabe disso. Agora escute, meu filho, e não esqueça o que eu estou dizendo! Afaste-se desse tipo de mulher. Não

chegue nem perto da porta da sua casa!" (Pr 5, 3-8).

A traição é uma das experiências mais terríveis pelas quais podemos passar, justamente porque sempre vem de uma pessoa próxima e abala a nossa confiança no outro e na própria vida.

Se a traição de um parente, amigo ou colega já é dolorosa, imagine aquela que ocorre no relacionamento entre duas pessoas que dividem a vida, os sonhos, os projetos...

Quem se sente traído passa por uma decepção tão grande que, às vezes, deixa de confiar não só no traidor, como em todos os que se aproximam de boa vontade. Esse é um efeito bombástico, que acaba impedindo quem foi traído de se abrir sem restrições a novos relacionamentos de amizade e amor.

O conselho do profeta Malaquias cita diretamente a esposa, mas também vale para maridos. No matrimônio, a traição quebra o pacto, a aliança feita pelo casal em Deus. Essa ruptura é um pecado condenado por Jesus. E, segundo o Mestre, para praticá-la não é preciso chegar às vias de fato, bastando o olhar de cobiça e o desejo instalado no coração.

É possível manter o relacionamento mesmo após uma traição?

Sim. Desde que, da parte de quem traiu, haja o reconhecimento do erro e um arrependimento humilde, demonstrado por meio de palavras, gestos e ações. Isso sedimentará o caminho para a reconstrução da confiança, que pode mesmo demorar.

Da parte de quem foi traído, cabe o oferecimento do perdão sincero e a abertura do coração para a misericórdia, e não para a vingança. É difícil, porque a marca não se apaga facilmente. O importante é não alimentar a dor da lembrança. Lembre-se de que Cristo esquece os pecados que, na confissão, lançamos na chama de seu amor. Esse é um bom modelo para nós. O melhor modelo.

Se o amor for verdadeiro e ambos estiverem dispostos a prosseguir juntos, podem sair dessa amarga experiência ainda mais unidos.

CONCLUSÃO

O universo está repleto de segredos, pequenos ou grandes. O progresso dos homens e da história pode revelá-los ou esclarecê-los, mas também é capaz de enterrá-los. Às vezes eles ficam bem guardados e retidos em uma dobra ou prega das páginas escritas da tradição — e isso por décadas e milênios.

Na área espiritual também existem muitos segredos, tanto na Bíblia como na grande tradição da Igreja (fé falada, celebrada e transmitida). Por exemplo, até o século VI, havia o costume de que os catecúmenos (candidatos à fé cristã, ainda sem o Batismo) só podiam participar da Santa Missa até a homilia, quando então saíam do recinto. Afinal, a profissão da fé, a oração do credo, deveria ficar-lhes como segredo — um segredo bem guardado, que pertencia somente aos cristãos.

Na Bíblia, quer seja no Antigo ou no Novo Testamento, os segredos são realidades constantes e fartas. Às vezes são compartilhados em forma de conselhos, ensinamentos, provérbios ou histórias. Por que, então, há tanta dificuldade em encontrá-los?

Aponto algumas razões que você já deve ter percebido no decorrer da leitura deste livro: primeiro, porque aquilo que nos é revelado nem sempre é compreendido de imediato, havendo meandros que fogem ao nosso alcance. Depois, a limitação da linguagem nem sempre consegue transmitir a experiência espiritual vivida — até por motivos de tradução, tradição e contextos. Espero, porém, ter ajudado a desvendar um pouco desse mundo intrigante e desafiador.

O próprio São Paulo alerta os colossenses sobre um segredo de fé revelado a todos os que chegaram à maturidade espiritual e, portanto, abriram-se para a sabedoria de Deus (cf. Cl 1, 25-28). Essa correlação feita pelo apóstolo entre revelação, segredo e maturidade espiritual é extremamente significativa para todos nós, pois reafirma um processo inquestionável de jornada existencial e espiritual.

Como você percebeu, nas reflexões deste livro há conceitos, conselhos e ensinamentos simples para a vida pessoal e comunitária, mas de um valor poderosíssimo. A imagem que me vem à mente é a da oportunidade de beber da sabedoria de Deus, que deixou, pelas mãos dos escritores sagrados, dos santos, dos doutores, muitos "segredos" ao longo de toda a história humana, de forma livre. Ele quis espalhar preciosíssimas pérolas de Sua sabedoria para que o homem as junte como um grande tesouro.

Ora, não foi isso o que disse Jesus? Quem encontrar uma pérola de grande valor, vai, venda tudo e a compre... (cf. Mt 13, 46).

De fato, este livro não foi pensado para uma única leitura; o intuito é justamente fazer com que, após a sua primeira consulta, você possa ter ciência para saber a que parte voltar, qual delas deve reler, e tudo a partir dos acontecimentos da sua vida. Quando a dúvida e o questionamento se apresentarem na sua vida pessoal, profissional ou espiritual, volte ao segredo já revelado por Deus, em sua Palavra, aqui citado de forma organizada.

Eu gostaria muito de saber: algo deste livro foi revelador na sua vida? Algum "segredo" garimpado da Bíblia fez você identificar mentiras ou desorientações no seu dia a dia? Segredos, mentiras e verdades guardam uma relação íntima de tensão e libertação.

Parece-me, e não creio estar errado, que a proposta de revelar segredos, como fizemos neste livro, também provoca certo frenesi, além de expectativa e temor. Faço uma analogia com a revelação de um segredo de família, por exemplo. É como uma bomba a explodir. Há um pouco de verdade nisso.

No entanto, o "segredo", enquanto verdade e quando alicerçado na caridade, sempre liberta.

Para concluir, gostaria de reproduzir uma história. Uma história que resume tudo.

Certa vez, a Mentira e a Verdade se encontraram.

A Mentira disse:

— Bom dia, senhorita Verdade.

Ao ouvir isto, a Verdade foi conferir se realmente era um bom dia. Olhou para o alto, não viu nuvens de chuva, e havia pássaros cantando. Uma brisa suave envolvia toda a atmosfera. Percebeu, assim, que realmente era um bom dia. Então respondeu:

— Bom dia, senhorita Mentira.

A Mentira prosseguiu:

— Sinta o calor que faz hoje.

Tendo percebido que pela segunda vez a Mentira estava certa, a Verdade relaxou. Em seguida, a Mentira convidou-a para um banho no rio. Despiu-se de suas vestes, pulou na água e disse:

— Venha refrescar-se, Verdade. A água está deliciosa.

Assim que a Verdade inocentemente tirou suas vestes e mergulhou, a Mentira saiu de fininho das águas, vestiu-se com as roupas da Verdade e foi-se embora.

Dando-se conta do que ocorrera, e coerente a sua natureza, a Verdade recusou-se a vestir-se com as vestes da Mentira e, por não ter do que se envergonhar, saiu a caminhar pelas ruas e vilas totalmente nua.

É por este fato que, desde então, aos olhos de muita gente, é mais fácil aceitar a Mentira vestida de Verdade do que a Verdade nua e crua.

Algumas verdades nuas e cruas foram reveladas a mim e a você. Há desejo e vontade de prosseguir nestas descobertas? Elas já estavam na Bíblia; agora, estão na sua mente.

Sigamos em frente. Há muitos segredos a serem ainda revelados. Tudo ao seu tempo.

REFERÊNCIAS BIBLIOGRÁFICAS

Bíblia Ave-Maria. São Paulo: Ave-Maria, 1959.

Bíblia de Jerusalém. São Paulo: Paulus, 2002.

Bíblia Sagrada. Edição pastoral. São Paulo: Paulus, 2005.

Bíblia Sagrada. Nova tradução na linguagem de hoje. São Paulo: Paulinas, 2011.

Catecismo da Igreja Católica: Edição Típica Vaticana. São Paulo: Edições Loyola, 1999.

Direção editorial
Daniele Cajueiro

Editor responsável
Hugo Langone

Produção editorial
Adriana Torres
Laiane Flores
Mariana Lucena

Revisão
Luiza A.M.
Michelle Sudoh
Thais Entriel

Capa
Rafael Brum

Projeto gráfico e diagramação
Larissa Fernandez
Leticia Fernandez

Este livro foi impresso em 2023,
pela Coan, para a Petra.